新住岡夜晃選集

[二] 不退の歩み

一九二四年(大正一三年)―一九三〇年(昭和五年)

法藏館

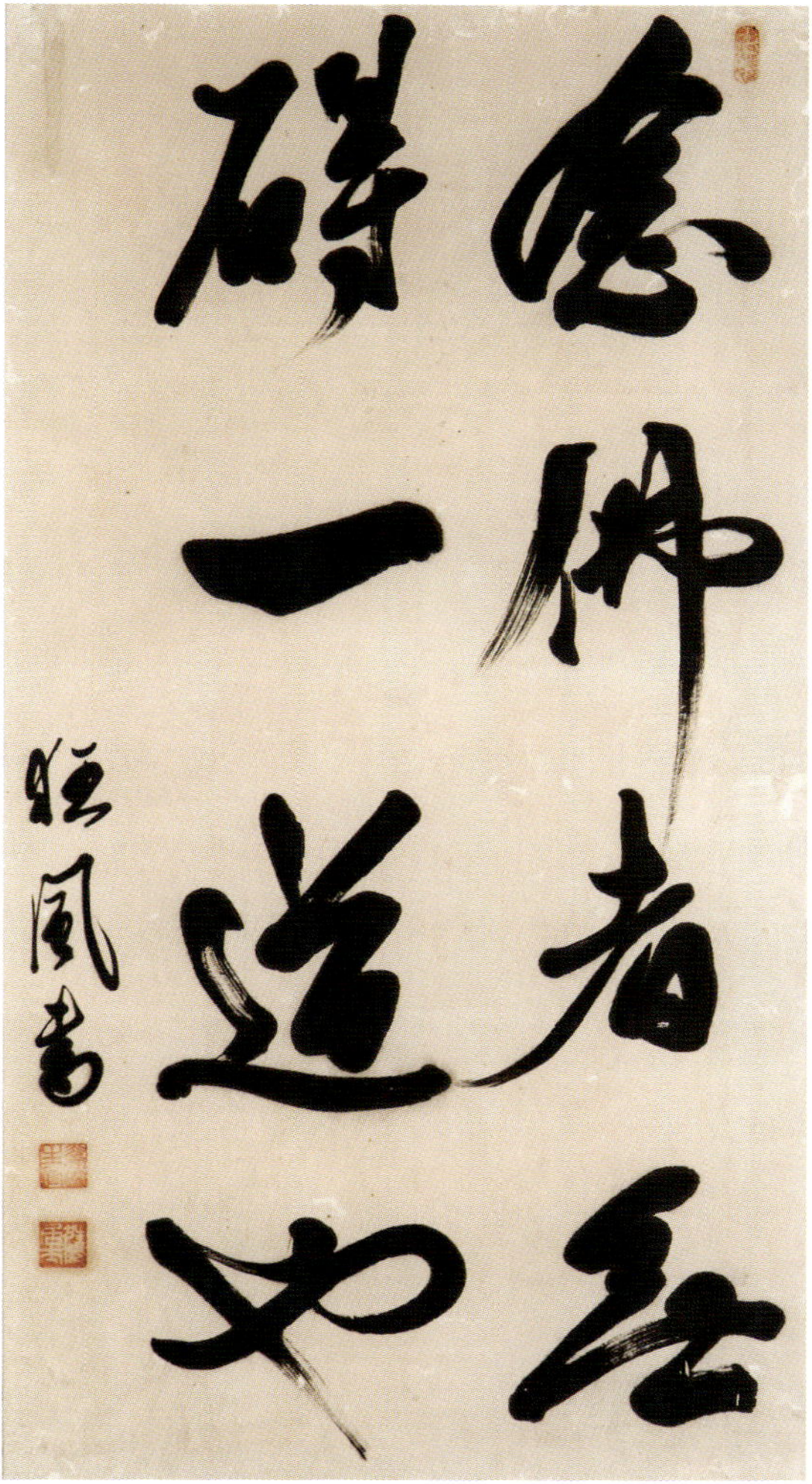

住岡夜晃による書「念仏者無碍一道也」
（真宗光明団蔵）

住岡夜晃による書画「吹雪の旅の親鸞聖人」
「是猶師教之恩致也」と讃がある（刀祢家蔵）

東郷温泉にて

1931（昭和６）年８月４日、鳥取県東伯郡の東郷温泉にて開催した真宗光明団幹部講習会での記念写真

新住岡夜晃選集　第二巻　不退の歩み　目次

【凡　例】

一、『新住岡夜晃選集』全五巻は、『住岡夜晃全集』全二十巻（昭和三十六年～昭和四十一年）を底本に、「新住岡夜晃選集編集委員会」において文章を選別・編集した。

二、原文尊重を原則に、可能な限り住岡夜晃の文章通りとしたが、大正期から昭和二十四年までに書かれたもので、現代の読者に読み難いところもあり、以下の点については編集委員会の責任で修正した。

かな遣いや送りがな等は現代表記に改め、段落の区切りや行替えも一部修正したものがある。旧漢字は、現在一般に使用されている常用漢字等に改めるとともに、現在使用されていないもので平がなに直した方が分かり易いものは修正した。また、読み方の難しい仏教用語や漢字・熟語等には編集委員会において振りがなを付し、読者の読み易いように努めた。また、住岡夜晃が独特の読み方をしている箇所のものは、それをそのまま生かして振りがなを付した。

三、「経・論・釈」や親鸞聖人・法然聖人等の著作物からの引用文については、原則として住岡夜晃が使用していた『聖典』（明治書院刊――以下『島地聖典』という）を使い、かな遣いも表記のままとした。なお、漢字は常用漢字等に改められるものは変更した。

また、読者の利便を考慮して、引用文の後ろに（　）で、『島地聖典』、西本願寺の『浄土真宗聖典（註釈版、第二版）』、東本願寺の『真宗聖典』の記載場所を付加して掲載した。

＊『島地聖典』では、通しページ番号ではなく、例えば「二三―三」のようになっているが、「二三」は聖典記載の左右の欄外数字で『歎異抄』を指し、その三ページ目からの引用であることを示している。

（例）「念仏者は無碍《むげ》の一道なり　そのいはれいかんとならば、信心の行者には天神地祇《てんじんちぎ》も敬伏《きょうぶく》し、魔界外道《まかいげどう》も障碍《しょうげ》することなし　罪悪も業報《ごうほう》を感ずることあたはず、諸善も及ぶことなき故也と、云々」　（島地二三―三、西八三六、東六二九）

四、文章の中には、差別や偏見など現代の人権感覚に合わない表現があるが、時代背景・歴史的事実にかんがみて、編集委員会としての判断で原文のまま掲載した箇所がある。しかし、差別を助長する意があって掲載するものではない。差別は大きな誤りであり、人権に関する問題は、仏教の教える深い智慧からも解決していくべき課題であると考えている。また、現代科学に即していない内容だが、原文のまま掲載した箇所もある。

五、節題や小見出しは、住岡夜晃の付けたもののままでは意図が伝わり難いと判断したものは、編集委員会の責任で一部変更したり追加したものがある。
（例）第四巻第一章の四「家庭の和楽」（原題）↓「念仏中心の家庭」（本選集）
六、「注」については、難解な用語の右に番号で印をつけ、該当ページ近くに付けた。これについては、岩波書店発行の『広辞苑』（第六版）等を参考にし、編集委員会の責任で著した。
七、各巻の最後に、その巻の収録文章の「住岡夜晃著作出典一覧」を付けた。
八、住岡夜晃の生涯を紹介する「略年譜」については、第五巻『仏法ひろまれ』の末尾に付けてある。

以上

第一章　いかに生きるか

見るだけで頭の下がる人がある。
私はそのような人になりたい
見るだけで拝みたいような人がある。
私はそのような人になりたい
知れば知るだけ離れたくない人がある。
私はそのような人になりたい
語れば語るだけ教えられる人がある。
私はそのような人になりたい

一　悩み多き在家の上に

在家の生活態度は悩みの多い罪深いものであります。

昨夜夕食後、裏の方のお家では、ひどい家内喧嘩がはじまって、食器の飛ぶ音、壊れる音、泣き声、どなる声があさましく聞こえてきました。

こうしたことは時々、一家を襲ってくる悲しい嫌な地獄のようであります。

御文章の中で、蓮如様が思いきった断定を下しておられるのが少々味わえる気がします。上人は特に度々奥方をお迎え遊ばして、お子様方もかなり沢山あったようですから、特に家庭苦については深い体験をなさったのではありますまいか。近頃一家内《いっかない》と皆一緒に住まうようになって、今まで知らなかった戦いを自分の内に続けて行かねばならないことを知って、人生の苦悩の一層の深さを味わわせていただきます。

私は腹のよく立つ性格でありました。けれども、私は瞋恚《しんに》の炎に焼かれている自分を、正しい冷たい智慧をもって見た時に、大変にあさましいのにあきれてからは、腹が立った時にはすぐ自分にかえって、自分の叡智の光で笑ってやることに致しました。「何だ馬鹿々々しい。何が腹が立つのだ。そんなつまらぬお前か」と自分を自分で批判する時、冷水を頭からかけるように、瞋恚の炎は消えていきます。近頃滅多に腹が立たなくなって楽になりました。

腹が立つともものを言わないで、布団をかぶって寝て、二日も三日も起きない人があります。怒った時にはその一念に、体中の白血球が六万個も壊れて毒になってしまいます。その毒は血液に吸いとられて肺臓に入り、呼吸となって出ていきます。その毒を一時間とって集めると、その毒で八十人の人を殺し得るそうであります。瞋恚や嫉妬に魂も体も焦がしながら、だまって布団の下で寝ておれば、その毒が盛んに寝床から空中に逃げていることでしょう。み仏からご覧になればあさましい姿に見えることでしょう。毒を吹く大蛇や鬼のように。

瞋恚

世の中で起こる汚い醜い事件は、大抵この腹立ちの心からではありますまいか。世間に出ては遠慮したり我慢したりした感情を、家庭では誰はばからず出して平気であります。弱い人間どもは自分の内で瞋恚の炎を消しえないで、周囲を一緒に傷つけないではいられないのでありますす。そうして激した情を外に出してしまえば、案外楽になれるものであります。こうした意味で家庭は汚い感情の捨て場でもあるのです。人間の赤裸々な偽らぬ生活であります。それだけ家庭生活は罪深いものなのであります。

腹があまり立たなくなりますと、自分の瞋恚の炎で自分が苦しむことは少ないかわりに、他の者が露骨に瞋恚の心をさらけ出すと、そのために苦しまされることが多いのであります。菩薩の「衆生病むが故に我病む」という言葉が味わえると思います。

家内が二人おれば二人の総合苦が生まれます。五人おれば五人の総合苦ができます。奥様が冷たい情をもってお暮らしなさる日には、小さい子供までその苦を分けて頂かねばなりません。それぞれの家内がそれに苦しんで行くのを、覚《さ》めきった一人が自分の苦として苦しんでいくことは尊いことであります。いずこの家庭でも、家内が瞋恚の炎に焼かれている時には冷たい氷になり、冷たい心に泣いている時には炬燵《こたつ》になり、浮かれている者には気もひきしまる秋風のように、魂の扉を閉じようとするものには温かい春風のようになって、覚めて生きている方があるものです。そうした方こそ、魂の底では一番苦しまねばならぬ方であります。けれどもそうした苦悩は尊い菩薩の苦悩であります。

愚痴

人の魂に痛手を負わす白刃は、愚痴から出る言葉であります。ある意味において、腹立ちよりも私は愚痴がいやであります。人間が過去に生きるようになりますと愚痴っぽくなります。

若い人には過去を見て暮らすには、あまりに美しい虹のような未来をもっています。段々年とってきますと、過去にばかり頭がむいてきます。そうして再びかえってもこない過去の「恨めしさ、悲しさ、憎さ、残念さ」を今更のように取り出しては、我と我が魂を苦しめているのが愚痴であります。私も時々愚痴が出ます。「やめた！」と私が、我と我が身に言っていることがあります。その時は、私が愚痴と戦っている時であります。一口の愚痴は周囲の者の胸にメスをあてるからであります。とりかえしのつかない過去のことを言ったって、どうにもなるものではありません。

年老いても魂の若い人があります。常に生き生きとした魂の声をきいている人は、愚痴から遠ざかります。若い人でも魂に永遠の青春が輝いていない人は、昨日を泣き昨年を恨み、十年前を考えて悲しんでいます。念仏の子はこの硬化しそうな魂と戦って、常に若々しく努力精進して、光のある生活を恵まれています。このままに坐りこんだ同行は、この若々しさを失っています。

癇癪《かんしゃく》や愚痴は誰でも出るのであります。けれども、腹の立った時、泣く涙に二通りあると存じます。自分で自分を救い得ない者は「どうしてこの恨みを晴らそうか。こうしてやろう。残念なことをした」とより深い苦悩に自分を落としています。そうして感情は静まっても、後には深い恨み、愚痴が残ります。

どんな時にもすぐ自分の本心にかえる人があります。そうして、激発した醜悪な感情と戦って自分に克つ人であります。自分をちょっとでも高めようとする人は自分と戦います。瞋恚の炎に焼かれている罪深い自分をみ光の前になげ出して、み仏を苦しめ奉るあさましい自分を懺《さん》悔《げ》し、かかる機までを救いたもう大悲の御恩の深さを感謝致します。

ともすれば自分の本心を忘れようとする自分どもを、常に、鋭い智慧光によりて照らし出して、あさましさを知らせてくださるところに、仏恩の深さがあるのでございましょう。

仲の悪い嫁と姑とが説教を聞きに行きました。講師は信後の生活、真俗二諦《しんぞくにたい》の宗風について懇ろに語っていました。俗諦行儀《ぞくたいぎょうぎ》について例話を引いて、勘忍深い妙好人の話を致します。聞いていた二人の内一人は、「あの話をよく聞いておいてちっとは自分の行いをなおせばよいのに、よい話をしていただいた。あれで胸がすっとした」と相手の上に皮肉な眼光を投げかけました。一方は涙ながらに聞いて思いました。「いいお話をきかせて頂いた。私は何という罪深い者だろうか。あのお話は極悪邪見な私への御説法である」と罪深い自分の日暮らしに泣き、悪業に目覚め、かかるあさましい自分の魂を摂取して捨てたまわざる大悲の恩徳を、ほれぼれと讃仰しているのでありました。

一歩々々がお浄土へ運ばれている人と、一息一息が地獄へ地獄へと近寄っている人との生活がはっきり分かれています。

在家の生活態度は、罪深いあさましいものであります。繁華な街、静かな村落、寂しい山里、至るところに家を営んで、人が住んでいる姿はなつかしくも哀れを催します。皆地上苦、家庭苦をなめつつ生きています。その人間苦の赤裸々な内に、み光の流れたもうことに目覚めた家庭は、恵まれた尊いものであります。

『観無量寿経』には、「下品下生とは、或いは衆生有りて不善業を作り五逆十悪諸の不善を具せん。此の如きの愚人……」と仰せられます。如何なる難治の三機も、如何なる大悪人も、如来の慈悲光に摂取されます。

蓮如上人の御文にも、

「又罪は十悪・五逆・謗法《ぼうほう》・闡提《せんだい》のともがらなれども、回心懺悔して深く『かかる浅ましき機を救いましますす弥陀如来の本願なり』と信知して、二心なく如来をたのむこころの寝ても覚めても憶念の心つねにして忘れざるを『本願たのむ決定心をえたる信心の行人』とはいうなり」

（島地二九—一一、西一〇八六、東七六二）

とあります。

悪人正機の本願の救済は、在家の上に打ちたてられてあります。「妻は輪廻のなかだち、子は三界のくびかせ」と申します。けれどもこれは聖道諸宗の方から言ったことであります。親鸞聖人は、奥方を観世音菩薩の化身として家庭の人におなりなさいました。意味深いことであります。弥陀の本願が、肉食妻帯夫婦の愛の上に、煩悩の盛んなる強健の身体の上に、そこから生まれ出る家庭苦の上に、家庭から拡がる社会の上に、国家、世界、十方衆生の上にうちたてられてあることを思う時、家庭は決して地獄者の道連れではなくて、悟道《さとり》への道場でありま す。妻も子も親も兄弟も、それは極楽への同行であります。ここに家庭の罪深さが、何時の間にやら価値の転換をされています。

苦しいからといって、家庭から逃れたいと思うことは卑怯なことでもあります。悩み多き在家の上に、それを浄化し、転化してくださる光を見出させて頂いて生きていくことこそ、煩悩《ぼんのう》即菩提《そくぼだい》と悟りたまいし釈尊の魂にふれていく道でありましょう。現実の苦しみこそ、力弱い私どもが、力強い真実生命を見出す縁ともなり易いことを思う時、人間が皆、家庭の赤裸々な姿の上にほんとうの自分の宿業を見出し、その上に流れたもう如来の願心にふれて救われていきますように、救われた者は、家庭苦の真っただ中に、み仏の慈光をよろこびさまして、いよいよ信仰を深めていくことは嬉しいことであります。かくして一切世間の家庭が尊い学仏道場になりますように念願してペンをおきます。

二　合掌する日

なぜ人と人とが集まった時、争わねばならないのか、呪いあわねばならないのか。なぜもっと仲よく笑って暮らすことができないのか。ある者たちは財産を争っている。ある者たちは恋を得るために戦っている。強い者が勝ち、弱い者が負ける。勝った者も寂しかろう。敗けた者も寂しいのだ。

集まって来た者は皆訴える。私は心の病院なのだろうか。ある人は夫の愛のないことについて泣いている。ある者は貧しいことを訴える。ある者は兄の冷たさを泣き、ある者は病弱を悲しむ。聞く私もまた寂しい一個の凡夫にしかすぎない。愛し得ざる悲しみに泣く。

許しあうということの尊さを思う。

誰にでも過ちがある。誰にでも欠点がある。誰にでも短所がある。それを一々責めないで許しあって行こう。許すこと、それは人と人との間になくてはならないことだ。愛することよりも許すことはむつかしい。許すには広い心がいる。許し得る人は大きな人である。

生きていく日の長いだけ、それだけたくさんな人を傷つける。傷つけた人たちにただ「許してください」とひたすらに願いたい気がする。許しもし、許されもする世界には涙がある。寂しいけれど嬉しい平安が二人の間に訪れる。多くの人と共に生きることは、ある場合、人格の試練でもある。礼儀を守る心は尊い心である。礼儀は決して人と人とを堅苦しくするものではない。親しくなった時、礼儀の失せる人は、やがて人々から嫌がられる人である。ことさら作られた型でなくて、自然の礼儀が人の心に流れている時、人格の奥ゆかしさを思わせる。親しくなるとは野蛮性に帰ることではない。


人と人との愛が高まってくる時、浄土の慈悲を思う。地上を超えて天上における聖座《せいざ》で結ばれた愛でない時、いつかは飽かねばならなくなる。愛しあっている夫婦も、兄弟も、親子も、師弟も、友人も、それが浄土の慈悲にまで高められた時、はじめて末通った愛である。

親しい者同士が別れていくくらい悲しい寂しいことはない。けれども「倶会一処《くえいっしょ》」のお誓いに生きる時、何とも言えない嬉しさを感ずる。共に天上の世界まで一緒に行き得ると思う時、涙の中にも微笑むことができる。

嫁をせめないで、もっと深く考えてくれ。姑をそんなに苦しめないで、もっと深く考えてくれ。全て人を責めないで、もっと独りになって深く考えて見てくれ。皆な兄弟なのだ。縁のつながる兄弟なのだ。もっと赤裸々に魂をなげ出しあったら、二人が手をとって一緒に泣いてあやまりあうことができるかも知れない。

法《のり》の友。地上でこれ位恵まれた間柄があるだろうか。心から心安い、慕っても慕っても慕いきれない、悲しいままが一つの世界にとけあって、これで事業の儲けをするのでもない、ただ聞きたい、ただ導かれたい、こうした間柄に念仏が流れる。お念仏しつつ合掌しあう、宿世《しゅくせ》の尊い因縁を憶う。この世界にだけ美しい調和があり、互いに自然の礼儀があり、許しあう生活がある。宗教の世界より外にはこうした世界はないかも知れない。

私たちの住む世界からは、もっと大きな人物を出さねばならない。大きな人格者、大きな芸術家、大きな宗教家、大きな政治家、大きな慈悲の人を生まねばならない。それには私たちは、

一、もっと真面目に生きて行かねばならない。

一、もっと真剣な願いを持たねばならない。

一、もっと愛しあって生きねばならない。

一、他の人の美しい所を心から讃め得るほどの大きな心を持たねばならない。

一、もっと大胆に自然の子にならねばならない。

小さい人間のはからいが多ければ多いだけ、盆栽のような人物ばかりが出る。そうだ日本人よ、もっと、真剣に生きて行こう。真剣な家庭からでなければ、真剣な人物は出ない。日本人が今のように小利口では大人物は生まれない。

他人から疑われることは苦しいことだ。しかし疑われたから人格が下がるのではない。他人からの疑いを一々弁解する必要はない。疑った者こそ自分の人格を傷つけている。疑われることを心配するよりも、悪を改めて行こう。他人を疑う心を悲しもう。

いつも人に治められている人がある。警察や、校則や、規則や、親に、いつも治められねば、すぐ常識で考えた普通のかくあらねばならない世界から出る人がある。常に自ら治まっていく人がある。知らず識らず、人を治めていく人がある。集合の時でも、必ず遅れる人と、時間より早く来る人とある。いつも自ら治まる人になりたい。人に治められないで生きる人になりたい。学校で子供の時、たった一人でも教室の掃除に精出す子供と、又してもなまける子供とある。又してもなまける部類の人間は大抵大きくなってからは、大した人物になっていない。

秋が来た。野に立てば、秋の千草が咲いている。夕べが来たる。晴れた空には星が一面に輝いている。虫の声がそこら中から聞こえる。大自然の中に立って、心ゆくばかり自然の恩寵にひたり得る人は幸福である。人の心が大自然から遠ざかる時、心の中には尊い何かが枯れてはいまいか。大自然と親しむ心、それは可憐なる子供の心である。

人と共にいることもいい。けれども時々はたった一人でお念仏する。この時ほどなつかしいものはない。合掌する日、私は救われている。悪《にく》まれもする。嫌がられもする。疑われもする。しかしそんな暗い世界から放たれて静かに合掌する日、おお、そこには如来が静かに傷つきつかれた心を撫でたまい、憩わせたもう。しっとりとした歓び、感謝、懺悔を感ずる。

合掌しよう。人は皆死んでいくのだ。愛しあった者も、戦いあった者も、呪いあった者も、皆死んでいくのだ。一切人の悠久な運命を思う日。私は合掌して念仏する。最後という最後、私にはそれだけしか許されていない。全て生きることの碍げは、合掌する心のうちからほどかれるのではあるまいか。

おお一切人に合掌の日来たれかし。南無阿弥陀仏。

三　真の自由

自由

ある意味から人間の活動をみれば、一切の活動は自由を求めているのである。金がほしいのも、貧乏が自由を妨げるからである。親がその娘に裁縫を教えるのも、他日娘が女としての生活に不自由を感ずるであろうと思うからである。

放蕩息子が親をだまして、金をひきだしていくのも、酒と女を自由にしようと思うからである。習慣ができ、法律ができるのも、それは人間生活の自由を相互に保とうとするからである。罪を犯した時これを獄に投ずるのは、罪を犯した者の自由を拘束して苦痛を与えるためである。自由を奪われることは人の最大の苦痛である。人はついに自由を欲する動物である。

消極的自由

人の自由を満足していく仕方に二通りある。一は消極的自由であり、一は積極的自由である。

消極的自由とは外への自由であり、積極的自由とは内への自由である。

消極的自由とは我々の住む環境をわが思うように変えて自由を得ようとするのである。それは生きていく上になくてはならない大切なことである。人が生きていくために道路をつけ、汽車を通ずることから、財産をたくわえ所有を拡張することも、気にいらない習慣を改造していくことも、代議政治を行って法律規則を改めていくことも、それは自由を欲するからである。

資本主義と社会主義とが戦って社会制度を変革しようとするのも、それはわが住む世界を自由の楽園にしようとすることである。

暑ければ氷をつくり、扇風機をかけ、寒ければ火鉢や炬燵を設けるのも、自由を求めているのである。

個人と個人との自由は野蛮時代にあっては個人間の戦いによって決せられた。彼らはたちまち腕力をもって戦った。けれども文明の今日は裁判所を生んだ。裁判所は個人の自由を保持しようとする一つの機関である。

これらの自由は、外へ外へと求めていく自由である。身の上を変えるのである。境遇を思うようにするのである。しかし人はこうした外への自由のみで真の自由を果たして得ることができようか。

根本的に考えてみた時、この消極的自由には忘れられたる大きな事柄がひそんでいる。それは自己自身が全く忘れられていることである。自分自身のうちが省みられていないことである。自由をうちに求められていないことである。

われらが真に自己自身の内に自由を求めていく態度に、道徳と、芸術と、宗教とがある。真に修養に、芸術に、宗教に生きたものは、外へ求めるよりは内に求めるのである。宗教や道徳や芸術は皆、われを内に拡げていくのである。真の自由はここにはじめて開けてくる。

理想と自由

理想のないところには真の自由はあり得ない。正しき理想を有せずして求める自由は、自由でなくて放縦である。軍隊に入営せる兵士が脱営して夜逃げをするのも、彼は自由を求めたのである。けれどもそこには何らの理想が動いていないで、彼は恋人や妻の情に動かされたか、軍隊の厳しい軍律を超越し克己することができなかったのである。商売に失敗した者がやけ酒を飲むのも、彼はいかんともすることのできない不自由なる心に、血路を酒に求めたのである。可愛い子を失った親が酒に走り、活動写真見物や劇の見物に走るのも、それは悲しき心を自由の世界に展開しようとするのである。しかしそれは一時的な逃避であり、姑息な慰安であって、真の自由への道ではない。そこには何らの理想を認めていないからである。

理想にむかって精進している者のみに真の自由は味わい得るのである。しかしその自由は内への自由である。

ソクラテスが真理を唱導するために、政府の手に捕らえられて獄に投ぜられた時、彼は出ようとすれば、粗末なる牢を破って出ることができたのである。彼の友人が彼のもとに来て、この粗末なる牢を破って出ることを勧めた。彼が牢にそのままいるならば、殺されるかも知れないのである。彼はこの牢を破って出るように勧められても、「私がこの牢から出て行けば、我は国法上の罪人である。国法を犯すことはできない」と彼は動かなかった。誰も知る、彼は毒杯をのまされて死んでしまった。彼は内への自由の人であった。

理想を追うて走る。現実から理想へと走る。そこに自由の問題がひそむ。猫の前に魚をおけば満腹していない限り、必ず本能自然のままに魚にとびつく。しかし人はたとえ飢えたりとも、必ず前に置かれたる食物にとびつくとは言われない。彼の猫と異なる点は、理想を有するからである。食べたい心と戦って理想へと生きていく。彼が食うか食わないかは自由である。理想へと進んでいくには常にわが本能と戦っていく自由の人でなければならない。

考えただけでも暑い夏の日中、座っていても暑いのに、人はこの暑さの中に飛び出していく。暑さを越えて働くのは理想への歩みがあるからである。

理想のないところ真の自由はあり得ない。

愛なきところ

愛なきところ、そこには自由はない。

自由とは我らの心が外的の束縛から超越することである。法律、規則、習慣等から社会制度に至るまで、乃至は寒暑等まで我らの身心は常に束縛を受ける。これらにしばられていると思う時、自由を感ずることはできない。而《しこう》してこれらの外からの束縛をなくすることはできない。ここで我らはただこの束縛から超越し克己することが許されているのである。それが真の自由である。

社会主義の人たちが、社会制度を革《あらた》めて平等を説き、ロシアのごとく財産の所有を平等にしたとて、一人一人の心のうちに理想と愛とが燃えないかぎり、それはそのまま不自由である。

ここに一個の中隊がある。中隊長をはじめ中隊の全員に愛が流れないで、ただ軍規軍律のみによって冷たく束縛されているならば、彼はまったくの不自由の中に死そのもののような生活をせねばならない。しかし中隊長が愛の人である時、中隊の兵士はこの中隊長とともに働くことにさえ幸福を感ずる。中隊長のもとに死することを心に誓う。一言骨を刺す号令の中にも父のような愛が感ぜられる時、兵士たちは軍律で縛られていることを感じない。彼らは厳しい軍律に生きつつも、しかも軍律を越えているがゆえに自由である。愛の燃えるところ、自由がある。

自己に

一組の夫婦がある。夫は妻を責めて妻をわが思う型にはめ、自由を奪って自分の思うようにして自由を得ようとする。妻は妻で夫ばかりを責めて夫の不徳を責め、夫を改造してわが生活を自由にしようとする。それがすなわち消極的自由である。こうした生活は自由な広い世界を求めつつ、日ごとに狭い窮屈な家庭になっていく。

夫を責めて、妻を責めて、子を責めて、親を改造してわが世界の自由を得ようとすれば、必ずその生活は行き詰まる。愛なき世界は不自由である。夫を責め、子を責め、親を責める前に自分が愛の人となる。妻を責める前に自分が愛の人となる。妻を責める前に自己を改造していく。妻の冷たい死んだ心霊は、たたいたり責めたりしていたのでは開いてこない。夫が愛の人となり、大きな器となった時、その愛の力が妻の心を開いて活かしていく。太陽が自分のいる世界が暗いと言ったことはない。太陽のあるところ万物は生き生きと育っていく。われが真の愛の人となる時、その周囲はわが愛の力によって自由の世界となる。

本願に生きる態度

生きる者には願いがある。根本的な願いを追うて生きていくところに人の理想への歩みがある。本願が本願で生ききられるならば何も問題はないが、もし周囲の者の意志で妨げられた時、私たちはいかに生きていけばいいか。この場合三つの仕方を考えることができる。

第一は願いを全く棄ててしまうことである。

第二は周囲の事情を全く考えないで、いかに周囲が傷ついても、願いのままに生ききっていくのである。

第三は願いを棄てることもできず、といっても周囲をも顧み、周囲の事情をくんでいく生活であります。

もし私たちが根本的願求をまったく棄ててしまうならば、生命のない屍とならねばならない。しかしもし周囲の者たちを傷つけることも、周囲の者の流す涙をも汲まずに、猪のように願いのままに生ききっていけば、それはあまりに愛のないやりかたである。私たちは若さの元気で周囲の者たちを考えに入れずにいく度か我が願いのままに進んできた。けれどもそれは末通った自由な世界ではなかった。周囲の傷ついた人たちの血みどろの相や、うめきの声や、呪いの叫びが、きっと私の心を暗くしてしまう。それは盲目的に突進した者の、当然負わねばならない結果である。ここに第三の生活がある。願いをも棄てない、しかし周囲の者たちの言うことにも耳をかたむける。ここに複雑な現実と理想とのあいだに深い智慧を必要としてくる。理想も殺さず、現実も殺さないところにほんとうの自由の天地が生まれてくるのである。父が泣いても、母が泣いても、妻が泣いても自分の思う通りをやっていくのは、自由を求めて放縦《ほうじゅう》勝手に陥ったのである。愛のあるところでなくては自由ということはあり得ない。真の愛のあるところに自由がある。

勇気

中国の老子は「慈なるが故によく勇なり」という。慈悲の心が勇の根底だというのである。真の勇気とは慈悲の心の上に立つことであり、慈悲によって動くことである。

勇気とは何か。真の勇気とは勝手に生きようとする本能の力と戦って克つことである。悪心に克つことである。己に克つことである。己に克つのが真の勇気である。

慈悲の心のある者、それが真の勇者である。勇者とは己に克つことである。克己することができるもののみに自由がある。自由は勇気から生まれる。勇気は慈悲から出る。自由はすなわち慈悲から生まれる。これが老子の考えである。

火は誰も嫌である。火事があれば誰も彼も逃げていく。されど焼けていく家には子供が寝かせてある。嬰児の母だけが火の中に飛んで救いにいく。母は真の勇者である。慈なるが故によく勇者となったのである。慈悲の心の湧くところ自然に己に克って勇者となるのである。彼が火の中に飛び込むことは自由である。真の勇者は自由の人である。勇者のみ自由を知るのである。

真の勇気とは悪心によって動くことではない。腹立つ心や貪欲や、人を害《そこな》う心に動かされて強いのは、いかに強くてもそれを勇者ということはできない。ただ慈愛の心によって動く時だけに真の勇気は生まれるのである。腹立つ心をどうすることもできずに、人を殺してしまった人を勇者とは言えない。むしろ彼は勇気なき人である。己に克つことができなかったのである。慈愛の心によって動いたのではないのである。我らは真に勇者にならねばならない。真の勇者になろうとする時、深い愛の人とならねばならない。慈愛の人のみ真の勇者であり、自由の人である。

忍ぶこと

勇気の反面は忍ぶ心である。忍ぶには力がいる。力は勇気である。忍ぶ人だけが真の勇者である。忍ぶ心には深い智慧と深い内なる力がいる。偉人や聖者や大人格者は忍ぶ人であった。大雪に降りつもられた中に立っている深山の木を思う。彼はじっと雪と寒気とを忍んでいる。

食うにも困る貧困や、冷たい世間の迫害や病気や批難や疑いや様々な苦悩がせめかけた時、真の勇者のみ、力強く忍ぶ。忍ぶ人だけが勇者である。私どもはこれらの苦しい境遇にあっても忍び得る自由の人となりたい。涙の中にも笑い得る自由の人となりたい。親鸞でも、日蓮でも、キリストでも、孔子でも「水を飲み肱《ひじ》を枕に」することを楽しんだ人たちであった。石が跳び、槍が降る中にも、合掌した人たちであった。

信仰

真の自由の世界は宗教の天地にある。真の信仰に燃える人格は決して、剣の力も批難や迫害の力も、貧しさも、病気もいかんともすることはできない。小鳥は大空に放たれた時、自由である。私どもの一切に執われた心霊が、慈悲と智慧との大信海に放たれた時、そこに真の自由がある。親鸞聖人はこの真の自由を声も高らかに歌った。

「念仏者《ねんぶつしゃ》は無碍《むげ》の一道なり　そのいわれいかんとならば、信心の行者には天神地祇《てんじんちぎ》も敬伏《きょうぶく》し、魔界外道《まかいげどう》も障碍《しょうげ》することなし　罪悪《ざいあく》も業報《ごうほう》を感ずることあたわず　諸善《しょぜん》も及ぶことなき故なりと、云々」

（島地二三—三、西八三六、東六二九）

信仰とは久遠の大生命にかえることである。慈悲と智慧との上に立つことである。限りなき広い世界が内に開けていくことである。富豪が贅沢をつくした食事にすら不平を言っている時、粗末なる夕食にも合掌し感謝して箸をとり得るのは、信仰者の常であった。不足をいうよりは御恩に涙する心、そこには広い天地がある。真の懺悔《さんげ》のあるところ、そこには感謝がある。真の感謝のみが私を広い広い世界につれていく。

夕陽を受けた西の空には金色に輝く雲が棚引く。人間性には肉を有するかぎり多くの醜さや汚さを有するかも知れない。けれども懺悔の朝は清い。執《と》われに泣き、罪悪にくられた魂が、清い広い世界に出ずる唯一の相《すがた》は懺悔である。懺悔は人間の唯一の救いである。懺悔には必ず感謝をともなう。感謝のない懺悔は悔恨であって、真の懺悔ではない。

宗教の天地では、生きることはそのまま生かされることである。自己の権利を主張せず、他人に義務を強いず、我を主張しないで、感恩の赤誠《せきせい》に生きることである。真の安心《あんじん》と真の向上と真の自由とはここに恵まれてくる。信仰は生命の全解放である。真の自由である。

四　いかに生きるか

「先生はどのような態度で生きていこうとなさいますか」

「大変に漠然とした問いでありますからお答えに苦しみますが、生きることの根本とでも申しましょうか。それは如来中心、念仏中心に生きさせて頂いております。とこうでも申し上げましょうか」

「その心持ちをもっと伺いたいのでございます。そのお念仏の生活と、今日の実際生活とは、どう関係がありますか。またその念仏生活をもっとわかりやすく話してもらえないでしょうか」

生活と念仏

私どもの生活に念仏生活と実際と二つはありません。だから念仏と今日の実際生活とを別にして考えることはできません。

清沢満之氏は『我が信念』(『清沢満之全集』第六巻、法蔵館、二二八頁)の中にこう言っています。

「私が種々の刺激やら事情やらの為に煩悶苦悩する場合に、この信念が心に現われて来る時は、私はたちまちにして安楽と平穏とを得るようになる。その模様はどうかと言えば、私の信念が現われくる時は、その信念が心一杯になって、他の妄想妄念の立場を失わしむることである。如何なる刺激や事情が侵してきても、信念が現在している時には、その刺激や事情が、ちっとも煩悶苦悩を惹起《じゃっき》することを得ないのである」

とまず信仰の効能を述べておいて、さらに言っておられます。

「私が如来を信ずるのは、その効能によりて信ずるのみではない。その外に大なる根拠があることである。それはどうかというに、私が如来を信ずるのは、私の智慧の究極であるのである」

色々と研究してみたが、みればみるほどわからなくなる。ついには自力の無効に達しておられます。この「自力無効なることを信ずるには、私の智慧や思案のありたけを尽くして、その頭のあげようのないようになることが必要である」と言われます。必要であるのではない。真に考えた時にはそうなのであります。さらに清沢氏は、

「私の信ずることのできる如来というのは、私の自力は何等の能力もないもの、自ら独立する能力のないもの、その無能の私をして私たらしむる能力の根本本体が即ち如来である。私は何が善だか、何が悪だか、何が真理だか、何が非真理だか、何が幸福だか、何が不幸だか、何も知り分ける能力のない私、したがって善だの悪だの、真理だの非真理だの、幸福だの不幸だのということのある世界には、左へも右へも前へも後へも、どちらへも身動き一つすることを得ぬ私、この私をして虚心平気《きょしんへいき》にこの世界に生死することを得しむる能力の根本本体が、即ち私の信ずる如来である。私はこの如来を信ぜずしては、生きてもいられず、死んでも往くことができない。私はこの如来を信ぜずしてはいられない。この如

来は私が信ぜざるを得ざる所の如来である」

いかにもよく言い表してあると存じます。如来は私の生活の生きた本尊であります。血と涙の通った心に顕現する生活の本尊で、これなくしては真の意味の生活はなり立たないと言って結構であります。

「先生はこの人生を苦しい所だとお考えになりますか。楽しい所だとお考えになりますか」この世界は苦しいことと楽しいことが一緒になってある所であります。苦楽共にありますが、私は以前はただ「生きることは苦しい」と思いました。今頃はその苦しみを「信楽《しんぎょう》」のよろこびに転じさせて頂くようになりました。

人生は喩えて言えば静かであったり大変荒れたりする「海」のようなものだという気がします。油を流したように見える晩春の海のような日もありますし、怒濤狂乱、荒れに荒れる夜の海のような日もあります。関釜連絡船《かんぷれんらくせん》以上の船に乗った経験は私にはありません。三千五百トン位な船だったと思います。あれで相当大きいなと思うようです。如来を憶念致します時、絶対無限な船に乗っているような心が致します。危ないとか、暗いとか思う日もありますが、それは私の迷妄が心を閉じている時であります。一念如来を憶念致します時、決して危なくない、心強さを感じます。おまかせしきって、棄てきって、たのみきっていいのであります。

「如来の能力は無限である。如来の能力は無上である。如来の能力は一切の場合に遍満してある。如来の能力は十方に亙《わた》りて、自由自在無障無碍に活動し給う。私はこの如来の威神力に寄托して大安楽と大平穏とを得ることである。私は私の死生の大事をこの如来に寄托して少しも不安や不平を感ずることがない。『死生命あり、富貴《ふうき》天《てん》にあり』ということがある。私の信ずる如来は、この天と命との根本本体である」

これが清沢氏の『我が信念』の結文（前掲、一二三四頁）であります。

船は海の波を静めるのではありません。荒れる海を渡るのであります。信仰もそれでありま す。聖人のお言葉で言えば、「難思の弘誓は難度海を度する大船」即ち如来の本願の大船は、渡るに渡り難い海を安々と渡らせてくださる大船であります。大信心は、そのまま如来の顕現でありますから、如来が大船であるということは大信心がそのまま大船であるということであります。この大船に乗托しておれば、如何なる荒海をも渡らせていただけます。

「人間苦について色々と悩んでいます。今の所をもっとお話しください。どう生きればいいのですか」

私どもの周囲には、私の気に入るものと、気に入らないものとがあります。いやこれは私が勝手に仕分けているのです。私に都合のいいものと、都合の悪いものとです。それが、愛する心と、憎む心です。愛憎は一つの心の両面です。世間普通では、愛する心はいい心で、憎む心は悪い心だと思っていますが、この愛する心は愛着の心で、やはりいい心ではないのです。

自分の思う女を愛する、それが夫婦愛の根本ですが、その愛がやがてもし堰《せ》かれたら、心中する心であり、もし女が愛してくれない時は嫉妬して殺す心でありま す。愛憎の心は一つものだということがおわかりになったことだと思います。それでこの心が、好嫌、善悪をつけて、好きなもの、善いと思うものだけ受け取って、嫌なもの、悪いと思うものを受け取るまいとします。しかし、人生は決してそんなにできていません。好きなものも嫌なものも、善いことも悪いことも、私めがけて打ち寄せてきます。

念仏の世界に入らせて頂くまでは、どうかして好きなもの、善いことばかりを受けようと思っていましたが、それが大変にまちがっていました。それに気づかせてもらいました。何でも合掌して受けさせてもらわねばならないのでありました。

世間では悪い子供を持った親を頭から二束三文に言ってしまいます。悪い子を持ち、悪い夫を持ち、悪い兄妹を持ち、悪い親を持った人を見る時も同様です。

しかし一寸考えて見ましょう。悪い子を持ちたい人はないのです。善い子を持ちたいにきまっています。さだめし悪い子を持って泣いており、色々と考えており、善い子を持った人より数倍の苦しみを持っているであろうことを理解します時、親の行為がなっていないからと頭から二束三文に言ってしまうことはできなくなりはしますまいか。

貧乏が好きな者はいません。家内の仲の悪いのが好きな者もいません。しかし深い深い何ものかの力が、そう簡単には問題を解決してはくれないのです。


そこで、私の好きなもの、好きなこと、気に入る事情に、私の周囲を治すことばかりに、かかわりはてていく生き方と、順逆共にあるがままを受けていく生き方と二通りあると思います。

私がまだ二十一歳の時には、二十七、八歳の人を見ると、何という老人だ、あんなになったらもう駄目だと思っていました。自分が二十七、八になって見ると、まだまだこれからだという気がしてちっとも年をとった気はしない。三十五歳になった今日、これからだという気がします。これは誰でも、自分の年齢を標準年齢にするのです。自分より下は幼稚に見え、自分より上は老いぼれに見える。五十になっても、六十になっても、自分の立場が標準だ、中心だ、と考えられるのです。

これはただ年齢ばかりではありません。一切のことで自分が万物の尺度になります。善悪でもそうです。自分の立場からだけ考えます。

朝から晩までたくさん言っています。色々と議論したり、理屈を言ったりします。この勝手な自分の立場を守るために、そこに立って言っていることは、全部が間違っています。私どもはそうしたことをくり返しているのです。しかしそれは哀れなことであります。

親鸞聖人が、

「よしあしの文字をもしらぬひとはみな　まことのこころなりけるを
善悪の字しりがほに　おほそらごとのかたちなり」
「是非《ぜひ》しらず邪正《じゃしょう》もわかぬこの身なり
小慈小悲《しょうじしょうひ》もなけれども　名利《みょうり》に人師《にんし》をこのむなり」
（島地一一―四二、西六二二、東五一一）

これは深いお心持ちであります。我等は高慢な自分に恥じ入ります。善悪邪正を言っている時はきっと、自分の間違った立場を死に物狂いになって守っている時です。世の中に他人をボロ糞に言って、自分一人を祭りあげているほど、卑しい哀れな相《すがた》はありません。私どもは何時もこの相になりがちです。批判すると言って、つい私情を雑え、虚偽を入れ、嫉妬をおこして、何時のほどにか批判が非難になっています。そうした自分に気がついた時、私どもは、聖人のこの「よしあしの文字をもしらぬひとはみな　まことのこころなりけるを　善悪の字しりがほ

に　おほそらごとのかたちなり」の一首骨随にとおるを感ずるのであります。

話をもとにもどさねばなりません。大波小波、私の上に押し寄せる全てを受けて行くか、周囲を全部改造するかです。私は合掌して全てを受けさせて頂く相で生きていきます。私の頭の上に刃が下る。私は嫌であります。逃げもするでありましょう。しかし心の底が申します。私が播いた種ならば私が刈らねばなりません。よもや私の播かぬ因果がふりかかってはきません。私は受けさせて頂きます。私は私の子供が善人であってくれるようにとそればかり思います。しかし悪い子供になって殺人罪をおかすかも存じません。私は進んで背負う外ありません。そうした悲しい日にこそ「天と命の根本、本体にてましますす如来」を憶念いたして、如来ひとりとささやく生活をさせて頂きます。

考えて見ると人を改造するどころではありません。私自身がなっていないのです。思うように改造できないのです。天も変わり、地も変わるでしょう。しかし私どもが思うようにはなりません。私自身も、私の住む社会も、あるがままの中に念仏させていただきます。そうです。あるがまま、変わるがまま、そのままの中に回向顕現したもう如来に生きさせてもらうのです。

「先生、先生の生き方で世間が問題にしていることがあります。それは既成教団、もっと露骨に言えば、寺院がずいぶん迫害しているにもかかわらず光明団がちっともそれに対して復讐的態度を取らず、黙っていることです。臆病なのではないかという者もいます。強いのだという人もあります。何故戦わないのですか」

ごもっともな不審です。これはいつも受けている質問です。寺院と言っても、それは安芸の国の一部だけです。光明団のその態度が、強いのか弱いのか、それは知りません。皆様が知っている通りに、いくら悪く言われ、攻撃され、迫害されても、それに対して、言いわけもしないし、申し開きもしないし、又こちらから戦いに対するに戦いを以て報いてもいきません。ただ私どもはいいと信ずる方に進んでいくだけであります。攻撃に対して反動的にいくことは決していいことだとは思いません。顕正《けんしょう》はしても破邪《はじゃ》は致しません。破邪は必ずしも顕正ではありません。正しさを出して、それが時代に容《い》れられるかどうか、それは私たちの問題ではないのです。もっと大きなものの意志であります。

光明団というものをとりちがえて、とんでもない攻撃が向くこともありますが、言いわけした所で駄目です。いつかはわかってもきましょうし、わからないかも知れませんが、そうした場合には非はこちらにはなくて彼方にあるのです。ですから私どもは唯、信ずるままにどしどしと歩ませてもらえばそれでいいのです。

私はたとえ今もう倒れかけた小屋一つも倒してまではいきません。路傍の朽ちた小屋一つも雨の時、旅人一人を憩わせるには十分です。熟れきった柿は人間の手で落とさなくても時がくれば自然に落ちます。一切のものは皆存在すべき理由があって存在するのです。存在理由がなくなれば、一個人がどう思ったって倒れます。存在すべき理由があれば、誰がどんなに、やっきになっても、嫉《ねた》んでも反対運動しても、迫害しても存在します。既成教団の打倒などと叫ぶ人がありますが、私には出来ません。光明団でもそうです。存在すべき価値と理由があれば、誰がどんなにしても存在するでしょうし、なかったら倒れます。これも自然のままにした方がいいのです。

光明団が他から攻撃されても黙しているのは、妥協するのでもなければ、恐れるのでもないのです。順逆共に受け取りつつ、自然の歩みをするためです。右をふさがれたら左に、横をふさがれたら縦に、許された方にのびたらいいのです。闘う意志を棄てた時、安々と与えられた世界に歩んでいきます。

五　生かす心

これはつまらない。彼はいけない。それは駄目。こうした言葉を我等はよく使います。我等は深い反省をこうした言葉や心持ちの上にむけてみたいと思います。実際につまらないものがあるでしょうか。我等がつまらないというのは生かすことを知らず、又そのものの存在理由を知らず、そのものの持つ価値を見とどけるだけの目を持たないからではありますまいか。我々は人でも物でも、全て善とか悪とか、正とか邪とかに分別して取捨します。どうしてもそうします。しかしそれは結局は、自分の都合や勝手ばかりを考えて、割り出しているのかも知れません。近視眼的な見方から出て、もっと長い目で見通していけば、みんななくてはならない尊いものかも知れません。

順逆二縁ということを申します。順とは私の気に入ることであり、逆とは私の気に入らないことである。水がほしくてたまらない百姓には、今日の雨はよい（順）でも、今日旅をしようとする人には逆境です。

順境は私を春風のように成長させ、のばしてくれます。しかし逆境は私を苦しめ悩ませます。芽がふみにじられたり、枝が折れたりします。しかし、人生にはたして順境だけでいいでしょうか。順境は私をのばしますが、もし逆境がなかったら、人生はだらしのない、アクビの出るような所になるかも知れません。確かに、冬枯の野に立てば我等はひきしまります。緊張します。寒風の暗があればこそ、堅い、美しい年輪が出来て樹を強いものにします。だから逆境は伸ばせないかわりに、強くします。やがて一寸の隙でも与えられると、のびねばおかない力をつくります。逆境に処して如何にするか、人物はその時試され、あるいは作られます。

　こう考えた時、全ては逆境に試練されなくてはなりません。真実が地上に生きて来るためには強い力の下に試練されます。もしこの力をはね倒して生まれ出るほどの力のないものは、本当の真実ではありません。真実が安々と通る世界を望みます。本当にそれを望みますが、しかし真実は試されることも大切です。もし真実があまりにも強く、そうしてそれを拒む力があまりにも硬い時にはついに急激に拒む力がこわされます。樫の棒は強い。しかし折れる時になればもろいものです。もし真実が本当の真実であれば、誰が何としたとてどんなに圧《おさ》えつけられたとて、不可思議な力を出して拡がっていきます。

　ですから順逆二境ともつまらないものではありません。そしてそれは正しく生きる力を充実させることであります。


　紙一枚でもまるめて棄てるかわりに、生かしていけば便所にも使われるし、強い紙であったら、コヨリにもなるし、障子の破れ目も繕われます。どんなものでも、それを生かして使う心は尊い心であります。生かせば何だって役にたちます。狭い心の前では、誰は何処がいけない、彼はここが悪い、彼は思想が違う、意見が違う、彼は短気だからいけない、のろまだから役に立たない、と棄てられます。そう言って行けば、役に立つ人は一人もなくなります。誰とも別れて一人でいなくてはならなくなります。

誰でも悪い半面があると共に、その半面には善いところがあります。よい所が使われてのびると、悪い方面は善い部分に統一されます。悪い方面をひどくつかれたり、悪く言われたりすると、良い方面まで死んでいきます。広い心の持ち主の前では、誰も彼も純にのびて働けます。「勇将の元に弱卒《じゃくそつ》なし」というのはこうした世界を物語ったものだと思います。ずるく構えたのではなくて、広い心は一切を摂取してそのままを生かします。我等はともすれば、その人の一時のよい方面を簡単に信じて、悪い方面が出た時、さっと手をひいたり冷たい心になったりすることを悲しまずにはいられません。人の善良なる部分よりも悪い性質の方がその人の人格を代表し、我等に強い印象を与えます。人格は善良なる部分よりも悪い性格の方を愛し得るようになった時、より尊く高くなったのだと言います。しかしそれは至難なことであります。

私たちはしょせん煩悩の子であります。根本も煩悩であり、枝末も煩悩であります。南無阿弥陀仏はその煩悩に燃える清浄の火であります。救われるとはこの煩悩の全部が生かされることであります。如来の大慈悲の前には一切は無碍であります。どんな重い罪悪も問題ではありません。いかなる罪も、悪も生かされます。裏切っても裏切っても捨てない大慈悲であり、刃に向かっても刃に向かってもついていく大慈悲であります。「善人なおもて往生をとぐ、いかにいわんや悪人をや」。けだしこの悪人正機のみ心こそ、奈落の底に泣く如何なる人も立たせる力であります。

「多《た》聞《もん》浄《じょう》戒《かい》えらばれず　破《は》戒《かい》罪《ざい》業《ごう》きらわれず
　ただよく念ずるひとのみぞ　瓦礫《がりゃく》も金《こがね》と変じける」（帖外和讃）　（島地一一—四三）

瓦礫《いしころ》が金と変わると言われるのであります。ただ信ずるのみで、念ずるのみで、凡夫のままが不退転の菩薩位に高まります。無口な人も生かせばそれで結構であり、能弁な人は、それで充実すれば結構です。天地間、同じ個性を持った人は一人もいません。私は永遠に私であり、春野花雄は永遠に春野花雄であります。私は私であればいいのです。彼は彼でいいのです。私を真に生かすことは、誰も行けない私の道を歩むこと、それが我等の使命であります。

浄土は「青色青光《しょうしきしょうこう》、黄色黄光《おうしきおうこう》、赤色赤光《しゃくしきしゃっこう》、白色白光《びゃくしきびゃっこう》」の世界であります。青いものは青く光り、赤いものは赤く輝くのです。白いものを赤くするのでもなく、赤いものが白いものの真似をするのでもないのであります。生かす時、光ります。殺す時、臭味が出ます。信は真に生かされる世界であります。

若い者は若い者で生かし、老人は老人で生かし、賢い者は賢いままで生かし、愚かな者は愚かなままで生かさねばなりません。一時間でも時間を生かせ。今日を生かし、明日を生かし、人生五十年を生かせ。多忙を生かし、閑を生かし、我を生かし、他人を生かし、一切を生かしていく所に私の生きた人生があります。

一切を生かす心、それは如来の心であり、大慈悲の心であります。如来は縦に「無量寿」と生き、横に「無量光」と輝きます。真に三世十方に生きたもうままが一切衆生を生かすのであります。我等はまず、我自らを生かさねばなりません。それはすぐ他を生かす生活へと動いていきます。

第二章　道を求める者の態度

苦痛逆境は人を育てる
もし逆境でくたばったら
逆境で人は殺される
若し　逆境のどん底に
立ち上がり立ち上がり進むなれば
逆境は人を作る

一　道を求める者の態度

親鸞聖人の求道

九歳から二十九歳、二十年の求道生活、生死出離の一道は未だに開けない。比叡山《ひえいざん》には数百千の寺がある。大きな伽藍《がらん》がそびえている。しかしそこには仏の血潮は枯れている。色衣《しきえ》と色衣の競争、地位と地位との争いがある。僧とは名のみである。どうして虚偽の世界にいられよう。いわんや聖道自力の戒律は人間の宗教ではなかった。彼はついに山を下りる。いかに彼が寂しい心を抱いていたか、救う神もなければ助ける仏もない。一切宗教に見切りをつけて、天地の間にたった一人の我を見つめつつ山を下りてくる、親鸞聖人の寂しい心を思う。

毎夜毎夜、三里半の道を京の六角堂に通う。寒い寒い氷のような風が身にしむ。永劫の迷いのままで暮らすには、あまりに真剣な声がうちに聞こえる。心中には一点の光も見えない。しかし暗いままで座ってはおれない。凡夫である。見れば見るだけ凡夫である。しかし凡夫のままではいられない。強い力がうちから動く。三里半の道も苦しくはない。じっとしてはいられない心。六角堂の救世観世音《くぜかんぜおん》百夜の祈願も今夜でおわる。

偽れない心。自分を自分でだまされない心。この人の前にだけ、真剣な求道がはじまる。

師匠

古い殻を破って、たぎりたつ生命が吉水の法然上人を中心に湧いている
不思議な力が親鸞を法然へと結びつける
仰ぎ見る、巍巍《ぎぎ》たる人格の光！　伏して拝す、燦然《さんぜん》たる信仰の輝き！
求めたものは与えられた　探したものはここにあった
求めよ、必ず与えられる　叩けよ、必ず開かれる
教えを受けんとすれば師匠を求めよ　盗賊になろうと思えば盗賊の親分のもとに走れ
大工のもとに行っては左官は習えない　人格者になろうと思えば人格者にふれよ
寒い時には火鉢の側に集まる　暑い時には風の吹くところに出る
衷心《うち》から何かが動く　動いた力が何かをひきつける
衷心の願望は何か　願望に似かよった世界が開ける
親鸞聖人の衷心に　永遠に生きんとする願望が動く
その願望の前に法然上人が堂々たる権威を提げて現われる

真剣に生きる者に真実の悩みがある
真実の悩みにのみ真実の疑いがある
真実の疑いにのみ真実の問いがある
真実の問いに真実の答えが与えられる
真実の答えによって真実の道が開ける

人格

親鸞聖人が法然上人の教えを信ずる前には、その人格が信じられてある
人格が信ぜられない時、教えは信じられない
教えを信ずる前に、人格を信じ得る時だけ、教えは真にその人の上に生きてくる
夫のいうことをなぜ妻が信じないのか、妻が夫の人格を信じないからである
人格を信じ得ないのにその人の教えを信ぜよというのは無理である
人格は器である、教えは食物である、糞桶に盛られた飯は犬は食っても人は食わない

大胆

ひたすらに人格を慕う。見れば見るだけ拝みたいような気がする。一時もおそばを離れたく

ない。何度読んでも飽きがこない。できることなら永遠に離れたくない。この方とならばともに火の中へはいってもいい。この態度を親鸞、法然両聖人のあいだに見る。

「親鸞におきては『ただ念仏して弥陀にたすけられまいらすべし』とよきひとの仰せを被《こうぶ》りて信ずるほかに別の子細《しさい》なきなり」

（島地二三―一、西八三二、東八三二）

よき人のおおせをこうむりて、信ずるほかに何もない。この無我の態度こそ親鸞聖人の全部であった。よき人とは師匠である。善知識である。よき人のみ言葉のままがそのまま生きる。そこに純一無雑の素直さがある。

先生のお言葉を神の言葉のように思って子供が信ずる。信じない子供の成績が上がったためしがあろうか。大工の弟子が、師匠のいうとおりを習わない。師匠の言葉を信じないからである。師匠のいうとおりに習っていかない弟子が、師匠をはなれて独立する日があるだろうか。

「念仏はまことに浄土に生まるるたねにてやはんべらん、また地獄に堕《お》つべき業《ごう》にてやはんべるらん、総《そう》じてもて存知せざるなり」

（島地二三―二、西八三二、東六二七）

なんという大胆だろう。師の僧は「ただ信じて念仏せよ」という。そのままを信ずる。しかしそれは議論で証拠だてる世界ではなかった。信ずる世界である。議論の世界は平面的である。信ずる世界は立体的である。信ずる世界は価値の世界である。存在の世界ではない。概念の遊戯、理屈をいかに横にし縦にしても、その中からは生命は生まれない。ぬくぬくと生きて動く世界に生命がある。信ずる世界は生命の動く世界である。地獄か極楽かを議論だてて、しかるのち信ずるのではない。信ずることによって地獄と極楽との解決がつくのである。信ずるものには結果の心配さえいらない。

親鸞聖人のみ言葉はさらに冴える。

「たとひ法然上人に賺《すか》されまいらせて念仏して地獄に堕ちたりともさらに後悔すべからず候」

（島地二三一一、西八三二、東六二七）

なんという思い切った大胆だろう。

み教えのままに生きていって、極楽へはいかないで地獄に行ってもいい。すかされてもいい、信じていく。信ずるのではない。信ぜずにはおれない。師の君のみ言葉が、渇いたとき水を与えられたように、心をうるおす。聞いたままで世界が開ける。聞いたままが魂の食物となる。

すかされたのではない。いいえ、すかされてもいい。

すかされて苦しい世界にいってもいい。信ずるままが魂のよろこびである。

善財童子の求道

文殊菩薩《もんじゅぼさつ》は善財童子に道を説いて聞かせて言うには、

「善男子よ、汝はいま覚りの心を起こしている。今より善知識を求めて一心に親しみ、供養をなし、いかに覚りの道を修め、いかに覚りの行を満たすべきかを問うがよい。善男子よ。これより南の方、可楽国《からく》の和合山《わごう》に、功徳雲《くどくうん》という比丘《びく》がいなさる。この方のところに詣でて道を求めるがよい」

善財童子はこの功徳雲比丘に教えを聞き、さらに海雲比丘《かいうんびく》、善住比丘《ぜんじゅうびく》、弥伽《やか》とだんだんと五十三人の善知識をたずねて道を覚っていく。彼が進求国《しんぐこく》の方便命《ほうべんみょう》という婆羅門《ばらもん》をたずねた時であった。方便命は苦行をしていた。険しい刃の山より、はてなく燃え狂う炎のなかへ身を投げ入れていた。善財童子は恭しく礼をして菩薩の道をたずねた。

するとと方便命は、

「善男子よ、汝がもしこの刃の山を登って炎の中に身を投げるならば、菩薩の行は清められるであろう」と教える。

けれども、刃の山すらおそろしいのに、燃え狂う炎のなかにとびこんでもいいのであろうか。彼の心には疑いが生じた。

「人と生まれて善知識に遇い、正しい教えを聞くことは難い。これは魔か、魔の使いかが、善知識の相を現わしているのではあるまいか。今や私の命を失わしめようと迫っているのだ。これは仏の道から離れているのに相違はない」

道を求める者にはそんな疑いのわくことがある。時に、梵天《ぼんてん》を始めとする多くの諸天は、虚空より善財童子を励ました。

「善男子よ！　さように念《おも》ってはならない。この人は大聖である。智慧の光を具え、衆生の貪の海を尽くそうとつとめておられる。この人が熱火に身をあぶる時、大いなる光はほとばしってもろもろの天界を照らし、諸天をここに来たらしめて法を説き、さらにその光を浴び地獄を照らして悩める者を天界に生まれしめる」

彼はこの声を虚空から聞いた。これら諸天の教えによって疑いは砕けて、心歓びにみちつつ、この方便命は真の知識であることがわかり、過ちを悔いつつ直ちに刃の山に登った。何のためらうことなく、大火の燃え狂うなかに身を投じた。しかしその刹那、身のまだ火に至らぬさきに安らかな禅定を得、火に至れば寂静の楽しき禅定を得た。

彼は方便命に言った。

「大聖よ、まことに奇異であります。このような刃の山も、大火も私を傷つけないで、私にふれると安らかに楽しみを与えます」

教えであるならば、火の中へでも飛び込む。そこに善財童子の求道魂を見る。師の仰せのままに念仏して地獄におちてもいい、親鸞の絶対信の世界もこれであった。一杯の水の入った湯呑みには、かさねて水を入れることはできない。我の入った者は、他の善に共鳴したり、他の教えを素直に受け入れたりすることはできない。無我の信があるところにのみ、すべての教化は活きる。教えの前には素直であらねばならない。忠順なる態度で教化の前にひざまずく。それが過去の聖者たちの謙虚なる相であった。

何を聞いてもそれはできないという。何を教えられてもその場かぎりで棄てる。一向に向上のない生活がそれである。一つの教えを受ける。できるかできないかという心配や疑いを棄てる。信じて実行に移す。

「善知識の仰《おおせ》なりとも『成るまじ』なんど思うは大いなる浅間しき事なり　成らざることなりとも仰ならば『成るべき』と存ずべし　此の凡夫の身が仏になる上はさて「あるまじき」と存ずることあるべきか　然れば『道宗《どうしゅう》、近江の湖《みずうみ》を一人して埋めよ』と仰せ候うとも『畏《かしこま》りたる』と申すべく候　『仰にて候わば成らぬ事あるべきか』と申され候」

（島地三〇—二七、西一二九二、東八八九）

たとえ近江の琵琶湖を一人してうめよと言いつかっても、決して逆らわない。それほどの態度で教えの前に出た時、教化は私の上に生きてくる。

二　大願の実現

求めよ、しからば……

天平五年、遣唐使・多治比広成《たじひのひろなり》は日本の使いとして中国に渡った。

そのときその船中には青年学僧の栄叡《ようえい》と普照《ふしょう》とがあった。僧栄叡は普照に言った。「唐には日本にいないような尊い僧もあるに違いない。学識もあり、徳も備わった唐第一の高僧をたずねて、日本にお供《つかえ》して、日本の国民を導いてもらおうではないか」。普照はその言葉に賛成した。彼らは唐に入るや、その人を訪ねた。初めから棚からボタ餅のように何でも与えられるものではない。まず求める心が動く。力いっぱい求めていく。求めた者にだけ与えられる。「与えられません」。無法な願いでない限り、そう言わねばならないのは、求め方が足らないのだ。

彼らは中国東西の僧侶に会いつつ、その人を求めた。

そうしてついに江南揚州《こうなんようしゅう》の大明寺まで来た。彼らはここに求めていた者を発見した。高僧鑑《がん》真《じん》がそれである。鑑真和上は十四歳にして仏門に入り、広く名僧・高僧の教育によって仏道を修めた当時中国における随一の高僧であった。今や大明寺にあって多数の弟子たちを教化していた。その高徳と学識と弁才とは、一世の尊敬を一身に集めて、さながら生仏のごとく尊ばれていた。二人の青年僧は鑑真の威徳に打たれた。「そうだ！　探した人はここにあったのだ」。求めた者だけが、与えられたときに、このよろこびを感ずる。彼らはその志を述べた。熱心に日本への渡来を勧めた。「どうか日本へお渡りくださって、日本の民衆をご教化くださいませ」。彼らの熱心さはついに鑑真を動かした。真心ほどおそろしいものはない。彼はついに日本に渡来することを誓った。

自分一人の道

「拙僧は日本に行く。誰かわしについて来る者はいないか」と和上の口から出たとき、弟子たちは師の意外な決心に驚いた。誰も口を開かない。やがて僧祥彦《しょうげん》は言った。「日本は海を隔てた遠い国でございます。参りますことは危険でございます」。あまりに困難だ。あまりに突拍子だ。とてもできない。一つのことを決心して実行しようとするとき、たいがい周囲の者たちがそう言って止める。周囲が動いてくれないとき、たいがいはそれでやめる。しかしそのとき高僧鑑真は言った。

「仏の道のためである。生命を惜しむには足らない。汝らが行かねば、わたし一人で行くまでだ」。「私が一人で行く」。たった一人だ。それまで決心がついたとき、はじめて自分の道がはっきりする。

いかなる大事業家も人を頼って立ったのではない。万人は行かなくても自分一人で行く決心、その決心を持った者だけが自分の道を自分で行く。日本の青年の現状を憶う。ぞろついて行く意気地なしの大学出はいないか。富豪の腰にダニのようについて行く。地位ある先輩や縁故がなければ、一日だって生きていかれない人間があまりに多くはないか。そうして世間の不人情を愚痴の種にして眠っている自分には気づかずに、他人を責めて青年時代を過ごす。まず一人で立つ。力強く一人で立つ。もし汝の行いが正しいとき、社会は決してそれを見逃しはしない。「先生、そんな無謀なことはやめなさい。職業はすてる、団員は去って行く。たった一人社会の中に立ったとき、行きづまりなさることは知れています」。それは大正十二年に私が、パンの道をすてるか、光明団を棄てるか、二つに一つに立たされたときに、一連の念珠と、一冊の聖典とを持って、負債すら持った私が社会のただ中に飛び出そうとしたときに、多くの人々から与えられた忠言であった。秋の木の葉のように私の周囲から人が去って逃げて行く。はたして私は行き詰まりそうだった。食うのにさえ困ったことが数回あった。お味噌をご飯に添えて食ったり、書物を売って弟の学資にしたり、着物を売って印刷費にしたり、家を借りようとして二日間もたった一人さまよったり、あらゆる苦難が次々と押し寄せてくる。

「たった一人で行く」。力はそこから生まれる。それから今日まで五年たった。発展というほどの発展もないが、一日だって退くことなく進ませていただいたことを顧みるとき、私は言いようのない嬉しさを感ずる。

「お前たちが行かねば、私一人で行く」。その鑑真和上の言葉の前には何物も碍げ得ない権威がある。自分の道を自分が行かなくて誰が行く。「私の道は私が行きます。しかし誰か助けてくれなくてはなりません」。そうです。それは私も知っている。

しかし、私が私の道を行かないで、誰が助けてくれる。しかし、助けてくれる人が私の一生を通して助けてくれるであろうか。親がいます。その親の死んだときはどうします。甲の人が三年助けた。しかしそれも一身上の都合で去っていった。乙の人が二年助けた。しかし今は音信さえ不通になった。丙の人が一生を誓った。しかし小さい苦悩で去って行った。丁の人が……それも思想の変化で逃げていった。

自分の足で自分が立っていない間は、そうしたことに出会う度に行き詰まる。

他人を見て動くのではない。他人を信ずるのはいい。しかし他人を頼りすぎたら、倒れてしまう。自分を信じないで、誰を信ずるのか。自分の道を自分で行かないで、誰が代わってくれるのか。「師のご熱心に驚きました。しからば私がお供をさせていただきます」と言ったのは祥彦であった。その言葉は他の僧たちを動かした。二十一人の弟子たちが同行を約束した。

苦難

決心ができる。しかしその決心が十中十、楽々とできあがるものではない。弟子の一人に道《どう》航《こう》というのがあった。彼は同行の一人である如海《じょかい》をつれて行くことを好まなかった。そして言った。「如海は学問ができないから日本につれて行かない方がよい」。その言葉が如海に聞こえたとき、如海は怒った。そして彼は「道航は、海賊と力を合わせて国を乱す者であります」と官憲に訴えたのであった。しかし道航は無実であることがわかって許されたが、如海は却って罪によって罰せられた。このできごとが、鑑真の日本渡来を困難な問題としてしまった。官憲は国民の外国行きを案じたために、容易にゆるさず、便宜を与えてくれるようなことがなかったし、中国国民は、この一世の大徳を日本へはるばる送ってしまうことを好まなかった。

けれども一度定めた決心は棄てられなかった。これから後、鑑真は、二回、三回、四回、ついに前後五回、日本渡来を企てたが、毎度失敗に終わった。一回失敗に終わると普通ならやめる。二回三回と失敗して、なお一念の決心を棄てないほどの人であるならば、たとえ成功はできなくても、それだけでその人は生きている。

いかに失敗しても初一念が正しいなら、一生涯できあがるまで進んで行く。たとえできあがらなくても、それだけで立派な生活である。何かが残る。彼ら一行は、あるときは大暴風にあって難船し、食うものもなく、名もない孤島に漂着し、命からがら難を免れたこともある。あるときは、山路はるかに雪の中に道を迷い、進退きわまって死を覚悟したことすらあった。あるとき、船が南方中国に流れついて、今の広東あたりに一時を過ごしたこともあった。

それでも鑑真は、初一念を失わない。不運はどこまで続くのかわからない。和上の身に随って常に離れなかった日本の僧栄叡は、ついに日本の地を踏むこともできないで、端州の龍興寺で死んでしまった。和上の悲しみのほども察せられる。たいがいの者ならもうやめる。けれども高僧鑑真の一念は、杖とたのむ栄叡が亡くなっても折ることはできなかった。

しかし、さらに恐るべき苦難は和上自身の上にふりかかった。彼は旅の疲れ、苦難の衰弱のためにか、ついに失明してしまったのであった。ああ。盲目の聖僧鑑真！　哀れ憬れの日本の天地はたとえ、渡来するとも見ることのできない不自由の体となったが、彼はまだ、まだ見ぬ日本の相を心の中に描いてやまない。

「御師匠様、日本に行くことはおやめなさいますか」「いや、やめるわけにはいかない。わしはどうしても日本の地に渡らなければならない。早く日本に行きたいものである」。「たとえ身をもろもろの苦毒《くどく》の中におくとも、我が行は精進にして忍んで終《つい》に悔《く》いじ」とは法蔵菩薩の本願であった。

頭は少々悪いかも知れない、しかし石にかじりついても、という努力の青年がない。体は少々弱いかも知れない、しかし気力で立ちきる男がいない。同じように怠けて、同じように楽しんで、しかも人一倍の結果を得ようとするのが平凡人の考えである。目が見えなくなってもまだ日本に渡ることをやめない心！　その心だけはいかなる凡人も学び得る。

はじめは日本に来てくれと求めた僧普照すら、この惨憺《さんたん》たる有様を見かねて、この和上をなお苦しめるに忍びず、韶州《しょうしゅう》で離れてしまった。失敗から失敗に、苦難から苦難は続いても、一度立てた高僧の心は巌よりも重かった。金剛心の前にだけ、師子奮迅三昧がある。こうなったとき、一念は永遠に一念であり、その生命は天地の悠久と一体である。

今も借金の山の中に苦しんでいる人を知っている。愛なき家庭に泣いている同胞も数十人を知っている。女一人が六人の大家族を引きつれて立っていなさるのも知っている。落第！　不成績の学生も掃き捨てるほど転がっている。高僧鑑真の十分の一、百分の一の気力でもあったか。今日は雨が降る。今日は寒い。今日は風邪気味だ。今日は頭が痛い。それでは一体いつになったら努力する。努力を抜きにして、ついに人生の向上発展も、価値も創造もあることなし。

苦難十二年

天平勝宝五年十月十五日、日本の遣唐使大伴古麻呂《おおとものこまろ》が帰国の途中、揚州大明寺に立ち寄った。これぞ鑑真和上の年来の大志を満足させてくれる救いの船であった。

「貴僧の御志を承り、感じ入ってしまいました。有難う存じます。ついてはどうか私の帰国とご一緒にお供いたします。船へお越しくださるように、お待ちいたしております」。和上は多年の宿望成就を心から喜んだ。しかし揚州の人たちは、彼の渡来を好まないのみならず、それを妨げるためにあらゆる方法をとった。

大伴古麻呂と別れて十数日の後、仕度を整えた和上は、ある夜こっそりと大明寺を出発した。船は揚子江を下る。随行する者、僧十四人、尼三人、その他とともに総勢二十四名、仏像や経典はもとより、美術工芸品を携えて大使の船に乗った。先に別れた普照もこの船で一緒になった。四隻の船は大海をのりこえて難なく、十二月二十六日、九州大宰府についた。彼が日本に来ようと決心してから、十二年の歳月は流れた。ああ。十二年！　あまり考えないで、ことを始めて「どうもできません」という。いったい何年努力した。努力しても努力しても通じなかったら、通じなかった方が当たり前だったのだ。そのときはそのときで別の道が開けてくる。

それから二か月後、鑑真和上は、奈良の都に到着した。あわれ、憬れの日本、山川草木は色鮮やかにこの聖僧の渡来を迎えても、彼の眼は永遠に開かなかった。されど高僧の心の眼は、大和島《やまとじま》の美しいすべてを見たであろう。当時は奈良は帝都であるとともに仏都である。上も下も、心から高徳の僧を歓迎したのであった。

彼はいよいよ東大寺に入った。やがて東大寺大仏殿の前に厳かに設けられた戒壇上に荘厳なる儀式は行われ、上皇（聖武天皇）ならびに、一天万乗《いってんばんじょう》の君をはじめ奉り、文武百官ことごとくそこに授戒して、彼はついに、一代の大導師となったのであった。

ああ。大願の実現よ！　大悲《だいひ》伝普化《でんふけ》の菩薩道よ！　前後十二年の大苦闘、五度失敗の大試練、その間、弟子の死する者三十六人、この大難行を恐れて逃げる者二百余人。

自らは盲目になってもなおやまず、法灯《ほうとう》高く奈良の都にかざした聖僧の忍力成就。黙して合掌す。精進なるかな。努力なるかな。薄志《はくし》弱行《じゃっこう》の慚愧《ざんぎ》、懈怠《けだい》忘恩《ぼうおん》の悲愁。生は短く、死は長し。生きるとは何ぞ！　大信念の上に立って、粉骨砕身ただただ努力あるのみ。

三　全我を捧げて

暗い心

重い足どりで大地の上をあえぎあえぎ生きていきます。疲れと、不平と、灰色な空気が、心も顔も暗くします。時間が流れます。時間の流れにつれて移り移っていくこうした無意義な一生は誰でもたえられません。

もっと輝かしい人生はないか。もっと生々した生活はないのか。それを考えないではいられません。同じような人間として生まれてきながら、同一の太陽のもとに呼吸しながら、どうして暗いのであろうか。あしたに人の冷たき業苦を聞き、夕べに死の扉の前に立てる人の悲哀の声を聞く時、地上の永遠の相の前に立って、考えずにはいられません。

いったい何がゆえに幽霊のような生活が続くのでしょうか。それは光明がないからです。光明とはいったい何でしょうか。光明がないとは生きる道が見つからないのではありますまいか。生きる道が見つからないとは、私をなげ出す世界がわからないのではありますまいか。

こう考えてくる時、私たちは私を捧げきることができ、投げ出しきることのできる世界は何かと求めずにはいられません。

教化

我々の持つ久遠の執着の相の一つに、批判を受けまいとする根強い心があります。無明長《ちょう》夜《や》の眠りはいたずらに深くして、自分自らを賢なりとし、善なりとし、是なりとし、正なりとする心は、如何なる親切なる批判をも受け入れずに、我を言い張ろうとします。批判は新しい世界へ導くたった一つの強縁であります。批判のない所にどうして向上や創造がありましょう。

しかるに心の底に巣食う悪魔はこの正しい批判をさけようとします。そうして永劫輪廻のふるさとになおも引き回そうとします。

批判を拒む心は教えを斥ける心であります。教えを斥ける者の相ほど貧しい浅間しいものはありません。一度無限に教えられ導かれる世界を去った時、そこには高慢な、醜いものが表れています。

「真実なる教え」、それがどれ位、親鸞聖人にとって大切なものであったでしょう。聖人二十年の苦悶は、唯この真実教を見出すためであったと言ってもいいでしょう。

私をほんとうに掘り出してくれる者、それは真実の教えであります。真実の教えのみが、私を無限に批判しつつ、教えの内面に盛られた一切の法と価値とを与えてくれます。

人間の苦悩は、人間の苦悩を生み出したと同一のものによっては解決しません。火は火によって消えず、氷は氷によってとけません。愚痴はいくらならべて見たって要するに愚痴であって、決して解決ではありません。釈尊を仏陀世尊としたものは、彼の背後に輝き、彼の心内におとずれた法身であって、地上の無明煩悩のやりくりではなかったのであります。

重い足どり、その足にまきつけられた重い鎖、その鎖を断つものは教化であります。無明の眠りは、真実の教えがこの暗さを明るくするのであることすら、知りません。我等は今、不可思議なる力の催しによって久遠の聖殿の前に立ちました。そうして「教」を聞こうとしています。聖人は「遇い難くして今遇うことを得たり。聞き難くしてすでに聞くことを得たり」とよろこんでおられます。

中心生命

たった一つの真実、それを示し、それを与えるものが真実の教えであらねばなりません。従って真実の教えでなければ真実は決して与えられません。真実を名のるものはいくらでもあります。しかし真実は二つとあるものではありません。真実と方便、真実と権化、真実と虚偽、それを見わけることはむずかしいことであります。我等は真実でないものを真実とあやまり、虚偽を虚偽と知らずして道をふみ迷います。しかし真実を真実と知る眼を与えるものもまた真実の教えであります。かく考える時、我等は何時も、私自身の独断を捨てて、限りなく過去の聖賢がたどった道を忠実に学びつつ、真実教を哲学せねばなりません。

信じようと努力する世界が宗教の世界でなくて、信の世界が宗教の世界であります。信じようとするところには自然《じねん》ならざる、はからいがあります。信ずる世界では、肩のこりがなくて必然であります。自然であります。かかる真実の信心は、いかにして成立するかと考えた時、「信は、聞《もん》と思より生ず」との言葉を思い出します。聞が欠けても思が欠けても成立しないのであります。聞とは真実教を聞くことであり、思とは、我等の思念の世界の事実であります。

聞くことと、思念することとの一致、そこに信の世界が成り立ちます。

親鸞聖人は、『大無量寿経』を以て真実教とせられました。その『大無量寿経』は、如来の本願を説くを経の宗致、即ち要とし、如来の名号を説くを経の体とします。『大経』を真実教であると思念せられる聖人には、見よ、その如来の本願と、如来の名号とが聖人の上に回向せられて、聖人の信となり、聖人の真生命となっているではありませんか。『大経』の生命は、そのまま聖人の生命であり、『大経』の体は、聖人の信仰の体であります。

「真実教なり」との体験は、信の成り立つ最初の全体であり、最後の一切であります。信も、行も、証も、一切は真実教の発見と共に成り立ちます。かくして『大無量寿経』は聖人の中心生命でありました。宗教とは実に我等の中心生命の発見であります。

若々しい生命

大聖釈尊の御一生が光輝《こうき》赫々《かっかく》たるものであったことはもちろんであります。一切衆生に対する徹底せる慈悲、無我の利他、如何なるものも救われていきます。

日蓮上人は『法華経』の中心にふれて如何なる迫害の中にも、南無妙法蓮華経と称えて立ちました。法然上人は、死罪に行わるといえども、念仏を停止すべからずと叫び、親鸞聖人は、念仏者は無碍の一道なりと叫ばれました。

たった一つの真実、その真実の前には自分全体を捧げかかったところに聖人の世界があったのであります。投げ出す世界は決して利己主義の世界ではありません。利己主義であるならば、それがどれほど懸命になされようと、断じて真実生活ではありません。

学問に秀でた人はあります。しかし、命までなげ出す人はありません。宗教でもそれが硬化して若々しくもえる生命を失った時、複雑なる形而上学だけを残して、間違いだとか、正しいとかの争いに日を暮らすようになります。宗教が正しい学問に指導されねばならないことはもちろんです。しかし学問は学問であって生命ではありません。

新しく興った宗教がよく世道の人の心をつなぐゆえんは、たとえその宗教の持つ学問は整頓されず、教理には不備な点があるにせよ、潑剌たる生気が漲っているからであります。祖師という祖師に、この若々しい生命の流れていないものはありません。身命をすら惜しまない態度がみなぎっていました。

捧げきって

「夫れ菩薩の仏に帰するは、孝子の父母《ぶも》に帰し、忠臣の君后に帰して、動静《どうじょう》己に非ず。出没《しゅつもつ》必ず由あるが如し」とは曇鸞《どんらん》大師のお言葉であります。

私は昔の忠臣たちが、義を泰山の重きにおき、身を鴻毛の軽きに比して、信ずる君公のためには、命を捨てて惜しまなかった心持ちを考えずにはいられません。大石内蔵助の一挙手一投足は、決して彼のためになされてはありません。立つも殿様、坐るも殿様、殿様の心中に燃える炎は内蔵助の心中に燃える火炎であります。貧富も問題ではありません。興亡も、生死も、ほめられることも、誹られることも、全て一切が問題ではありません。この一事のために生きます。

信仰の天地があります。ほめられる、それがどうした。誹られる、それがどうした。生も死もそれがどうした。我と我が心におこる妄念、それがどうした。煩悩がどうした。学問がどうした。道徳がどうした。栄達がどうした。流罪がどうというのだ。「心を弘誓の仏地に樹て、念を難思の法海に流す」。牛を盗まずして、牛を盗んだと言われても、そこに一言半句の弁明もない。至尊の前に頭をたれて、善男子とよばれ、善女人と呼ばれる。黙して語る心の海、その信の海こそ合掌の底に広がる信楽《しんぎょう》であらねばなりません。

生命さえ捧げることのできる人を持つ者は幸せであります。師匠のために生命を捧げ得る人も幸せであります。子供のために命をささげる者にとっては子供は生命であります。夫のためには死すら厭わない者にとっては、夫は妻の生命であります。

仏のためには命を惜しまず、法のためには命を惜しまず、僧のためには命を惜しまないのが仏教徒の生活でありました。生命すら投げ出すことのできる善知識にあった者は幸せであります。如何に迫害の中に立っても真実を真実として受けるためには死罪流罪すら共にして「是れなお師教の恩致なり」とさけんだ親鸞聖人を弟子に持った法然上人は幸福であります。盲信することや偶像にすることはおそろしいことであり浅間しいことでありますけれど、共に一なる世界に呼吸する善知識なくしてどうして信の世界がありましょう。

法のためにはいかなる辛苦艱難をも露《つゆ》厭わず、忍従して、唯一の大道を地上に培ったのも過去の聖者たちであります。大法のためには一切を惜しまず、大法がふみにじられる時には生命を捨てて殉教しました。

大法は肉体よりも大切です。大法は家庭よりも大切です。大法は妻子眷族よりも重い。そうした忍従と伝持に一身を捧げる人なくして大法が大地のものとなりましょうか。

一つの思想が表れる。国法が死刑をもって圧しても、俗衆がいかに迫害しても、真実が真実である限り、幾多の生命を犠牲にしても、大地の上に拡がります。大法こそ大法に生きる人を生むのでありましょう。幾多の悲劇がその周囲をとりかこみます。しかし大法の遵奉者は屍を踏み越え踏み越え苦悩の中に七転八起して受けついでいきました。こうした彼等の一生は、意義深いものであらねばなりません。

生命の歌

おちつけないのは、自分の生活に価値が見出せないからであります。嫁入った女が逃げ出すのは、夫の上にも、一家の中にも、自分の立場にも、価値が見出されないからであります。自分の立場が重要であることに目覚めた時、たとえ身を粉にしなければならないほど苦しい境遇になっても逃げはしません。流転するのは、純一な価値を見出せないからであります。「自分があってもなくてもいいのだ」という世界にはおちつけません。

真実の教えは、浮雲のような存在であった我等の上に至上絶対の価値を盛り上げます。弥陀をたのめば、南無阿弥陀仏の主になるのであります。罪悪生死の凡夫とは我等の全体でありますけれど、それは決して真実のものではなくて、仮相であります。救われた者にとっては、南無阿弥陀仏こそ本質の価値であります。我等の存在は至上絶対の価値が与えられたのであります。至上絶対の価値を自覚した者が、何で自分を粗末に考えたり、いたずらに弊悪卑《へいあくひ》怯《きょう》に囚われていられましょう。

その一生は台所でお炊事と子供の養育に使われるかも知れません。田舎で一生田を耕すことに終わるかも知れません。華々しい一生を幸福と考えることは凡夫の持つ一つの間違いであります。名もなき一生が価値がないと考えるのは、智慧の眼がないからであります。公園の中で咲いた花が幸せでもありません。深山がくれに咲く花も、花は花であります。社会組織が進んできた今、殉教の血を捧げねばならないこともありますまい。しかしながら一切人の上に至上の価値は盛られねばなりません。台所の隅にも、工場の中にも、山の田の中にも、生命の歌は歌われねばなりません。一国の大臣の失政は国家将来の上に拭うことのできない大欠陥を残します。台所の隅にあがる心の歓びは一家を明るくします。我が一挙手一投足が、法界の一切に通ずることを思い、念仏の我が、如来の生み出したもうことを考え、合掌念仏せる者の立場は、極楽浄土がその本地であり、念仏が尽十方無碍光如来の回向せられたる全部であることを憶う時、そこに私の全体を捧げきります。

粉骨砕身

「如来大悲の恩徳は身を粉にしても報ずべし
　師主知識の恩徳も　ほねをくだきても謝すべし」（島地一一―三六、西六一〇、東五〇五）
『正像末和讃』において、
「釈迦如来かくれましまして　二千余年になりたもう
　正像の二時《にじ》はおわりにき　如来の遺弟悲泣せよ」（島地一一―三三、西六〇〇、東五〇〇）

と悲歎の底に筆をはじめた聖人はその結論において、「如来大悲の恩徳は」と広大なる恩徳を感得せられて報謝の大行に生きるべきを述べられてあります。大いなる生命の道に遠ざかっているることに悲泣した者だけが、やがて一切の時代と所と人とを超えて、恵まれた真実に対するよろこびを天地とも等しく感ずるのであります。

議論も聞きあきました。安価なる涙にも用事はありません。合掌して立て！　我等は「身を粉にしても」「骨をくだきても」のみ言葉をはたして生かしているだろうか。大乗無上の大法。一切の理論を超え、疑謗を超えて、身命すら捨ててかかる人、大法はこの人を求め、この人を生もうとしているのではあるまいか。

一切を捨てて一切を得よ。小我を打ちくだいて如来の中に捨てよ。
小さい箱を打ちくだけ。囚われた者の世界は小さい。
如来の中に捨てた者は、そこに大きな社会を発見する。
如来の中に生きる者は、同時に大きな社会に生きる。
社会の中に自分を棄てよ。社会は如来ではないけれど、
無限の生死海を開いた眼で見かえせば、生きる天地がそこにある。
一切群生の上に如来はおどる。

荒波が押し寄せてもそこを動くな。火炎がとりまいてもそこを逃げるな。

荒波にくずれるものは打ちくだけよ。火炎で燃ゆるものは燃やしつくせ。

如来の身は金剛にして壊れることはない。

一切がくだかれた時、如来よりはえぬいたものだけ残る。

やわらかな蕨が堅い大地をきって出るものを
汝等の一番大切なものの上に汝の心もある。

金のためにさえ、命を捨てる人があるではないか。

浮雲のような権勢名利に命を捧げる人もあるではないか。

三度の食事が与えられる間不平を言っていいものか。

「粉骨砕身」の四文字が生活態度になった時、一切の問題は解決する。

たとえこの身が路傍の松並木の肥料になろうとも、生の凱歌はこの人の上にあげられる。

第三章　親鸞聖人を偲ぶ

聖人様

あなたは教主善知識にてましします

如来は救主にてましします

しかし　私はあなたのみ言葉をいただく時

いつしか　あなたと如来と一体にてましますことを感得いたします

一　報恩講にあたってご開山聖人を憶う

本部の空気

十二月一日より三日間、祖師親鸞聖人の報恩講を本部において営む。地方からも同胞たちが集まる。毎日盛会であった。特に夜席は満員である。涙ぐましい感激が本部にみなぎる。台所から、団歌「旅寝《たびね》の聖者《せいじゃ》」を歌う声が聞こえる。皿の音にまじってお念仏の声がする。しんみりとした空気が、新しく私たちを、七百年昔に地上を去って久遠の浄土に還りましたる祖師の前に、自然にひざまずかせる。大食卓にずらりならんで二回にも三回にも精進料理をいただく。その間に何かが流れる。

来たりて見よ。ああこの空気！　もっとたくさんな団員たちに味わわせたい。夜がくる。女子の方たちは新しくできた女子光明舎に行って寝る。一つのお炬燵に七人も八人も寝る。それが嬉しく、何にも不平がない。ただ有難い心でいっぱいになる。

越後の祖師

雪降れば、冬がくる。

冬がきたら雪が降る。

雪を思えば、祖師を思う。

雪を見れば、雪を褥《しとね》の祖師を憶うて泣く。

大雪の夕暮、寂しい村里、鳥さえ巣を出でぬ寒い夕暮、疲れたらしい三つの黒い姿が動く。

宿を借らんとすれば、情も涙もない左衛門の言葉。

荒《すさ》んだ心の持ち主は、杖で負いたもう笈《おい》すら打った。

「縁のはしでもお貸しくださいませ」。それさえもきかれない。

門の外には、いかんともすることのできない姿を抱いて、
ただただ念仏している聖人とお弟子とが見える。

石を枕に、雪の褥！　もういい、もういい、私は泣いている。

生か死か

叡山に登り、根本中《こんぽんちゅう》堂《どう》に参拝した記憶が蘇る。正治二年十月一日、秋ようやく深まろうと

する頃、我が聖人は、根本中堂、薬師如来の前に三十七日間参籠して生死の一大事について祈願をこめたもう。御年まさに二十八歳、二十か年にも近からんとする御修行もついに明らかなる悟りに入りたもうには何の甲斐もなし。

「定水《じょうすい》を凝らすと雖も、識浪《しきろう》頻りに動き、心月を観ずと雖も、妄雲猶おおう」。生と死、あこの一大事をいかにせん。語る友なく、聞くに師なし。一切の宗教はついにこの若き求道者を救ってくれないのか。一切の神も仏もこの深刻なる求道者の前には救済の光を与えないのか。まことに、聖人の求めたまいしは冷たき哲理ではなかった。空虚なる地位ではなかった。浮世の名声ではなかった。なげ出されたる生死の一大事、妥協もならず、ごまかしもきかない。切れば血の出る生死の一大事。

他人は考えない。考えた者だけにこの心事がわかる。根本中堂にひれ伏せし祖師のみ心は、今や彼をして絶望のどん底にけおとした。暗黒なる年は暮れて悩み多き年は明けた。明ければ建仁《けんにん》元年、聖人二十九歳。ついに叡山より三里半、京の六角堂に夜な夜な祈願をこめたもうこと百夜。この白熱的求道者の前に何物も与えられなくてすむだろうか。

悩む者の心は暗い。暗い心を抱きつつ京の四条の橋にかかりたもうは誰ぞ。我が親鸞聖人であった。何の恵みぞ、誰がなす業ぞ、聖人はふと安居院の聖覚法印《せいかくほういん》にあいたもう。色あおざめて物深く考えたもう我が聖人の相は聖覚法印の注意をひく。

「これはこれは、そこにいなさるのは範宴様ではございませんか。今頃君には毎夜毎夜山を下りて何処かに通わせたもうと聞きます。今日の常ならぬ御様子、どちらにおこしでございますか」と問えば、聖人は心の中を残らず語られる。

するとと聖覚法印は「さようでございますか。それでは今頃東山の麓、吉水に法然上人がおられます。実にこの方こそ大導師でございます。学も徳も信仰も、古今まれに見るほどの御方でございます。速やかに聖人をおたずねして往生の要よくよく御問いなさいませ。私も今吉水にまいるところであります」。仏の使いか、宿善の花開く時の不思議、聖人の心の奥深い決心が見える。


建仁元年三月十四日、今や聖人は法然上人の吉水の禅坊をたずねられる。

法然上人、時に御年六十九歳。

温かそうな御容貌、尊そうな御様子。語りたもう御言葉の慈愛深きこと。

たずねたものはここにあった。求めた方は今、ここに現われたもうた。

親なき我が聖人は、今や父の家にかえり来たような喜びを感ぜられる。

救われし人はここにあった。
見よ、念々称えたもう念仏の底には生きた何ものかが動いているよう。
僧に会った。真実の僧に今や会われたのだ。
僧とは法に生きた人のことである。如来と共なる人のことである。
法を求めて得ず、仏を求めて得られなかった我が親鸞聖人は、
今や、法と如来に生きた僧に出会われたのであった。
弥陀他力の本願は淳々として、今、若き範宴の君に語られたのであった。
我が聖人は忘れたるものを思い出したが如く、
一言一句、そのままを素直に受け入れたもうことが出来るのであった。
不思議なるかな、弥陀他力の本願、有難や、
一天四海の明師《めいし》の御化導、聖人のみ胸は充たされた。
罪悪生死に泣きたもうそのまま、他力摂取のみ救いは確証された。

絶対帰依

「たとひ法然上人に賺《すか》されまいらせて念仏して地獄に堕ちたりともさらに後悔すべからず候」（島地二三―二、西八三二、東六二七）。古今独歩、我が師匠を信ずること、我が聖人の如き方が

どこにあろう。仏法僧の三宝、この三宝に絶対帰依するは仏徒の面目である。

僧に絶対帰依することによって、仏に絶対帰依の天地を得られたのは聖人である。真実の法によって救われし法然上人の奥には、善導大師が見える。釈尊がある。更に如来の本願がある。善知識たる僧が救うのではない。救うのは如来である。如来に絶対に帰依する時、そこに救いがある。さりながら、僧なる知識が救われて大安心に住していない時、どうして我等は救いを信ずることが出来よう。

救われし真の知識がここにある。親鸞聖人は法然上人を直ちに如来の化現であると信ぜられた。救われし人即ち僧にあうことによって、法にあわれたのである。如来にあわれたのである。絶対他力の信仰では、ことさらに、絶対帰依であらねばならない。絶対帰依は純他力の信仰の世界ではじめて生きる。

私は親鸞聖人を真に信じ奉ることによって如来を拝し得たのである。吉水の教団は今や旭日のように盛んになった。月輪禅定九条関白藤原兼実《ふじわらかねざね》公は有力なる教団の擁護者であり御弟子であった。盛なるものは必ず衰える。衆をぬく者は凡俗から悪《にく》まれる。それは古今の悲しい事実である。吉水の教団もまたその例にもれなかった。叡山南都の僧侶たちは、盛んなる吉水の教団と対抗反対すること十数年。松虫鈴虫の二人の官女が出家したのが動機となって遂に念仏禁制となり、吉水の上には大きな力が加えられた。

吉水解散！

木の葉がぱらぱら散るように、あわれ死刑に処せられるお弟子二人、法然上人は土佐に、親鸞聖人は越後に、その他多くの御弟子もそれぞれ流されたもうことになった。

土御門《つちみかど》天皇、承元《じょうげん》元年三月十六日、今日はいよいよ、法然上人は小松谷の草庵を、我が親鸞聖人は岡崎の草庵を出でたもう日である。師上人御年七十五、我が聖人三十五歳である。

「会者定離《えしゃじょうり》ありとはかねてききしかど　昨日今日とは思はざりしに」「別れゆく路ははるかにへだつれど　宿りは同じ華の台《うてな》ぞ」。それが両聖人の御別れのみ心であった。噫。悲しき地上のさだめよ。全て亡びるものの相は寂しい。師の聖人はすでに御年七十を越したもうこと五年、御いとおしや。これぞこの世の別れ、かくさんとして適《かな》わぬ別離の涙、思い出しただけでも断腸の思い。「倶会一処」。阿弥陀経に光る四文字、別れゆく者の魂はいずれの世界にか結ばれねばならない。尊くも嬉しや如来のみ救い、念仏の友はお浄土で一緒にあえる。

雪多き越後の天地を思う時、そこにわび住居の聖人を思う。玉日の御方と別れたまい、御子様と別れたまいて、流罪の憂目を見たもうの哀れにも悲しきことよ。

世は諸行無常である。

春風おだやかにもえ出ずる生命のめぐみに笑う日もあれば、北風吹き荒んで、身にせまる寒気に身をけずられる冬の日もある。温かき恵みの日のみが人生ではない。温かき恵みの日は笑いであり、木の葉散る秋は涙の日である。会うたる者は必ず別れる。得た者はまた失う日がある。恵まれたる日に笑い、悲しき日に泣くは人生の常である。

おお涙！　笑うことは嬉しい。しかし私たちは浮かれやすい。涙の日は悲しい。しかし私たちは深刻なる人生の相に目覚める。如来に生きたもう御開山聖人は、今や涙の人生を深く味わいたもう。私どもはここに二つの御相を拝する。

一つはこのいたましき人間の相を越えたもう御聖人である。常ならば泣いておわるべき日に、流されつつも「大師聖人源空もし流刑に処せられたまわずば、我亦配所に赴かんや。もしわれ配所に赴かずんば、何によってか辺鄙の群類を化せん。是れなお師教の恩致なり」（『御伝鈔』）と逆境のどん底にも微笑したまいし聖人である。流されしこともまた師教の御恩である。これあるが故に辺鄙の衆生を念仏によって救いあげることができるのである。この人生の悲しみの底にも一点の光と悦びを感じたまいし聖人である。

まことに我等が真に生きていくとは、不幸の唯中にも猶亡びず、消えない光と悦びとを失わないことである。不幸の中にただ泣くだけならば誰でもすることである。泣いておわるべき中にも、新しき生命を認めていく、そこに無碍の大道は展《ひら》けてくるのである。

愚禿親鸞

「御本典」化身土巻に曰く、

「竊《ひそか》に以《おもんみ》れば　聖道《しょうどう》の諸教は行証《ぎょうしょう》久しく廃れ　浄土の真宗は証道《しょうどう》今盛《さかん》なり　然るに諸寺の釈門　教に昏《くら》くして、真仮《しんけ》の門戸を知らず　洛都の儒林　行に迷うて、邪正《じゃしょう》の道路を弁《わきま》うること無し　斯《ここ》を以て　興福寺の学徒　太上天皇（後鳥羽院と号す諱尊成）に今上（土御門院と号す　諱為仁）の聖暦、承元丁卯《じょうげんひのとのう》の歳《とし》、仲春《ちゅうしゅん》上旬之候に奏達《そうだつ》す　主上・臣下　法に背き義に違《い》し　忿《いかり》を成し、怨《うらみ》を結ぶ　茲《これ》に因りて　真宗興隆の太祖《たいそ》　源空法師《げんくうほっし》

並に門徒数輩《すはい》　罪科を考えず猥《みだりがわ》しく死罪に坐《つみ》す　或は僧のぎを改め、姓名《しょうみょう》を賜うて遠流《おんる》に処す　予は其の一《ひとり》なり　爾れ者《ば》已《すで》に僧に非ず俗に非ず　是の故に『禿《とく》』の字を以て姓《しょう》と為す」

（島地一二一—一二三、西四七一、東三九八）

愚禿とは僧にもあらず、俗にもあらぬ者の姓名であった。北越の天地になげ出され、御師匠や妻子と別れたまいし聖人のみ心やいかん。逆境は常にその人物の赤裸々なる相をよびさます。真信仰に至りて、このせっぱつまったる人間悲痛の涙の底にこそ、その輝きを増す。すべての妥協もよそおいも間にあわぬ人間裸形の痛々しさ、聖人はこの内観されたる御自身に愚禿の名

をつけたまわれた。

非僧非俗の愚禿。何ぞ我が腹の底をつく御言葉ぞ。すでに僧に非ず、聖道自力によりて成仏せんとする賢善精進の僧にあらず、されど道を道とも思わずして生きる俗も御年九歳でおわってしまった。妻をもち子を養い、肉を食うの身、唯々、如来によって生かされていく一介の愚禿、それこそ聖人の全部であった。

天上天下唯我独尊と叫びたまい、三界は我が有なりと告げ、一切衆生は我が子なりと正覚成就なされし釈尊を天上に仰ぐ我等は、今や大地の上に愚禿と名のりて一切衆生の痛ましき罪障を一身に荷負したもう我が祖聖人を見る。

両極相一致して、しかも一にあらず、両者相俟って、如来悲懐の真髄にふれることができる。共にこれ如来大心海の化現でなくて何であろう。絶対他力の救済は今や確実に人間のものとなった。悪人正機のみ救いはここに生まれた。流罪にいたもうこと五年、建暦《けんりゃく》元年十一月十七日、流罪は赦免となった。

師法然の御往生

世に師弟の間ほど浄く親しきものはない。御開山聖人は御師匠法然上人の前にはその全部をなげ出したもうのであった。建暦二年一月二十五日、法然上人には御病気のため大往生を遊ばさる。

「本師《ほんし》源空《げんくう》世にいでて　弘願《ぐがん》の一乗ひろめつつ
日本一州ことごとく　浄土の機縁《きえん》あらわれぬ」
（島地一一—三一、西五九五、東四九八）

「曠劫多生《こうごうたしょう》のあいだにも　出離《しゅつり》の強縁しらざりき
本師源空いまさずば　このたびむなしくすぎなまし」
（島地一一—三一、西五九六、東四九八）

「真の知識にあうことは　かたきが中になおかたし
流転輪廻のきわなきは　疑情《ぎじょう》のさわりにしくぞなき」
（島地一一—三一、西五九七、東四九九）

「本師源空命終時《みょうじゅうじ》　建暦第二《だいに》壬申歳《にんしんさい》
初春《そしゅん》下旬第五日　浄土に還帰《げんき》せしめけり」
（島地一一—三一、西五九八、東四九九）

稲田の草庵

我が聖人は、今やその師を失いて、京都にかえりたもう御心もなく、関東にふみとどまる御決心をなさる。常陸《ひたち》の国、稲田《いなだ》の草庵こそ我が聖人が真に理想生活を遊ばされた所である。念仏はここに弘まり、み教えを乞う者、日に月に増した。聖人はここで『教行信証』一部六巻を著したまい、浄土真宗はここに後世の礎をおかれたのであった。真に『教行信証』は信仰の書である。体験の記録である。聖人御自身の血の御滴《おんしたた》りである。我等が終生一時もはなれ得ざるの信仰書である。

御示寂

聖人は一生御寺をお持ち遊ばされなかった。次々と御弟子たちによって寺はできたけれど、聖人自身は決して御寺を持ちたまわず、ただゆるされたるままに住みたもう。晩年京都におかえり遊ばせし後も、「五条西洞院《にしのとういん》わたり、これ一の勝地なりとてしばらく居を占《し》めたもう」くらいで、ついに一寺一山の主とはおなり遊ばさなかったのであった。

永劫の御苦労ははや漸くつきんとす。今や年みちて、聖人はかの世へとおかえり遊ばすのである。

弘長二年十一月二十八日、仏恩の深きことをよろこび、更に他の言葉を交えたまわず、ただ念仏してましします、頭北面西右脇《ずほくめんざいうきょう》に臥したもうまま、九十年の御生涯をはてさせられ、念仏の御息はたえたのであった。噫。

「娑婆永劫《ようごう》の苦をすてて　浄土無為《むいご》を期すること
　本師釈迦のちからなり　長時《ちょうじ》に慈恩を報ずべし」（島地一一―二九、西五九三、東四九七）

今や我等は新しく聖人にふれたのである。報恩講を営ませていただきつつ、聖人は我に教え、我をはげまし、我をさましたもうのである。

報恩講はすんだ。あのなつかしい涙ににじむ講演会もすんだ。生きながらえたことをよろこびつつ、罪ぶかき我が平素の生活を懺悔せずにはいられない。

「如来大悲の恩徳は　身を粉にしても報ずべし
　師主知識の恩徳も　骨を砕きても謝すべし」（島地一一―三六、西六一〇、東五〇五）

二　ご正忌を迎える心

聖人様

雪が降ります。綿のような雪が降ります。雪を見ると私は私の生まれた故郷の冬の日を憶い

出します。雪の降る冬の日の故郷は、報恩講の営みやご正忌など、み法《のり》の相続に恵まれていま
す。雪を見、故郷を思い出す時、私はあなたのことをしのびます。
一月十六日、それは、あなたが生死の苦海からあの世へと往生あそばした記念日であります。本年もまたそのご正忌が近づきました。

聖人様

厳粛な生活者であった聖人様、真実より外に何ものも眼中になかった聖人、私は聖人様にお会いしたことを心から喜ばずにいられません。

あなたは真に道を求めたお方でありました。あなた自身の道を求めたお方でありました。あなたが藤原家を棄てて叡山にお上りになったのも、決して叡山で成功しようとなさったのではありませんでした。名と地位とを得んがためではなかったのです。山にお上りになったあなたは、あなた自身が問題であったのです。自分自身を問題の中心にしたことにおいて、あなたほど真剣であったお方があるでしょうか。

私はご正忌を迎えつつ、聖人を憶念しつつ、今さらに深くあなたの生々しい御説法をいただきます。私どもはかぎりなく名と地位とをあこがれます。終生、愛欲、名利の心に囚われることでありましょう。しかし、名利を求める心があるからとて、それをゆるし、その心にのみ囚

われていきますならば、ついに人生は道草で終わらねばなりません。あなたは限りなくこの心を痛みつつ、道草をやめて真実の道を憶念なさいました。

「名利何ものぞ、愛欲何ものぞ」と悟れる者の如く叫ぶことは、もちろんおそろしい賢善をよそおう偽善であります。賢善の聖者としてよそおうこともできず、といって名利の奴隷になってしまうこともできない所に、私の痛ましい悩みと、そして道があります。私どもはどうして聖者の如く気取られましょう。そしてまた、どうして名利の世界に道草を食っていられましょう。

叡山にお上りになった聖人が、もし、堂々たる叡山の権勢に威圧され、その学階とその僧位に眼がくらみ、人生を名利の成功者として終わりなさったならば、人間の真実の道、人間の生きる道は、私の前に示されなかったかも知れません。

真実の救いを求めて何ものにも妥協する事のできなかったあなたは、そうです、妥協することのできなかったあなたは、迷いつつ、悩みつつ、苦しみつつ、ひた走りに走られたのです。

救われぬ魂の前に、叡山が何です。天台が何です。門跡が、座主が何です。哲学が何です。まっすぐに偽わらぬ自己を凝視《みつめ》つつ自分を救ってくれないものを反古の如く棄てていく。修行を超え、祈禱を超え、学問を超え、宗教を超えていく、何という大胆でしょう。何という真実でしょう。

時代の人たちとの妥協もありません。いい加減な迎合もありません。ひたすらに求めて走る、厳粛な求道の一路。国家でもなかった、社会でもなかった、宗門でもなかった。自分の救われない者に、どこに人のお世話ができましょうか。

弱き善人は、周囲に威圧され、権力に媚びて、引きずられつつ流されていきます。あなたの眼は時代をも、自分をも、教団をも、睨《ね》めつけました、射通しました。鋭い宗教的理性、それは真実なるものと真実ならざるものとをはっきり見分けられました。

しかしそうした人は、いつの時代でも寂しい世界を行かねばなりません。たった一人立たねばなりません。あなたはまことにひとりでありました。ひとりであればこそ「弥陀の五劫思惟の願をよくよく案ずればひとえに親鸞一人《いちにん》がためなりけり」との天地が開いてきたのでありましょう。

聖人様

私どもはあなたが体験なさった「罪悪生死の凡夫」という言葉を無反省に使ってきました。ふた口目には「凡夫だから」と言います。あわれ聖人の血の叫び、深き体験の盛られたみ言葉も現実弁護の凡俗語となってしまいました。「凡夫が如来に救われるのだ」ということは、はたして平面的な言葉であったのでしょうか。

ある者は、無反省に愛欲から愛欲に走ってあなたを誤りました。ある者は、凡夫とは聖人の謙虚さであるとして念仏生活を聖者のそれだと誤りました。ある者は凡人文化だの凡人生活だのと、あなたのお言葉を集めて、堅苦しい狭い型をつくって入りました。いいえ、私どもがあなたの一面を外から見ては、それであなたを知ったと誤り、単なる模倣者で終わろうといたします。あなたの一切は外からはめつけたり、かぶせたりした型ではなかったのです。一切のそうした型やはからいがこわされた時、おし出された一切が如来のみ手にあったのです。煩悩の全体に回向顕現された如来が、全的に救ったのでありました。

お言葉一句でも、それは如来に根ざした生命それ自身の名のりであります。

しかるに、いわゆる同行たちはその大部分が、聖人のこの生命それ自身であるみ言葉を切りとり、綴りあわせて、功利主義の満足のために使おうと致します。そうして無智なる同行たちは、今や、極楽浄土に行かんがために聖人のみ言葉を利用せんとしています。

聖人様

限りなく、あなたの世界に生まれたいと存じます。あなたや釈尊と一つながりに生きたいと存じます。私たちの我を棄てて、あなたと等流一如《とうりゅういちにょ》の世界に生きさせてもらう時、私は一番はっきり、私それ自身と、私自身の生きる道を知ります。

あなたが、「たとひ法然上人に賺《すか》されまいらせて念仏して地獄に堕ちたりともさらに後悔すべからず候」と申されたと同じく、あなたと一つなる流れにこの小さい我を見出させていただく時、はじめて私は安らかであり、力強く感じ、生き甲斐を感じ、明るさを感じます。

合掌して聖人のみ言葉の一つ一つに耳をかたむけます時、その一言その一句が私の心を培います。私は決して気に入る部分だけを切り取って、我の上にそれをひきかぶって浄土に行こうとすることはできません。あなたは私の善知識にてまします。み教えのままに生きさせてもらいます。と言ってそれは決して私の心を盲目にすることではありません。不思議にも、私が如来を憶念いたします時、真実の招喚《しょうかん》に蘇ります時、あなたは私の前に立っておられます。

あなたは教主善知識にてまします。如来は救主にてまします。しかし、私はあなたのみ言葉をいただく時、いつしかあなたと如来との一体にてましますことを感得いたします。ああ、応現のあなたなくて、どうして如来がありましょうぞ、否、如来があなたの上に生まれさせたもうことを信ぜずして、どうしてあなたの一句一句が如来の聖旨《みこころ》と拝まれましょうぞ。あなたの一言一句は、わが霊《たましい》の故郷、大自然界の奥に秘められたる如来胸中の秘密が、いまさらに私に明かされ、私に聞かされ、やがて私に回向されるのでなくて何でしょう。あなたによってはっきりと叫ばれたる「善人なおもて往生を遂ぐ、いわんや悪人をや」との宗教の真髄はそのまま如来胸中の極秘の聖旨でなくてはなりません。あなたはその聖旨に全体をもってふれて救われなさったのであります。されど人の子は何時のほどにかこの心臓を手にとって弄びました。ああ如来の心臓を弄ぶものの末路。

聖人様

聖人の末弟たちは長い間に聖人を偉大な偶像にしてしまいました。あなたの心にもない殿堂を荘厳《しょうごん》してその中にあなたを祭り、それをあなたの御威徳のように信じました。愚かなる同行たちは、殿堂に圧倒され、大きなものが持つ威厳にうたれて、それをあなたであるかの如く拝みます。

願わくば、あなたが七百年の昔、鋭い心をもって如何なる時にも真実の我と、真実の道とを失わず、いつも真実の如来を拝まれた智慧の眼が、同行の上に開かれて、唯一の如来、唯一の真実、唯一の招喚に生きる日を願わずにはいられません。

ご正忌がきました。私どもは聖人のみ心に新しくふれます。宗門を超え、殿堂を超え、偶像の前に、権勢の前に、いらぬ道草を食う同行を超えて、私は真一文字あなたのみ胸に直参しなければなりません。

しかし私は寂しうございます。あなたのふまれた道や聖旨がほしいのではなくて、功利的な極楽だけを求めて「たやすく、労せず、はやく」と商売の如く考える民衆たちと、あなたを利用して贅食する輩たちは、又しても、あなたのみ教えにのみ生きていこうとする者を敵として刃を向けます。しかし私は行かねばなりません。あなたを知ったのです。もし地上に生きねばならない価値があるならば、それは唯あなたに遇ったことだけであります。行かねばなりません。その道が如何に苦しくても、み教えの世界にすすませてもらいます。み法の世界は無限であります。はてしなき光明の広海を念じつつ、今更に新しき注意をよびさましつつ、聖人のみ教えを生かさねばなりません。

三　親鸞聖人を偲ぶ

「生死の苦海ほとりなし　ひさしくしずめるわれらをば
弥陀弘誓《ぐぜい》のふねのみぞ　のせて必ずわたしける」（島地一一―一四、西五七九、東四九〇）

月日の流れは早い。うたかたの夢の間に春去り、夏ゆきて、秋もはや終わりとなった。冬が来ると、家にも寺にも聖人を偲びまいらせる報恩講が営まれる。幼き頃のあの田舎における、年に一度の報恩講のなつかしい催しが思い出される。冬の日は、永遠の苦悩を超克して安養の浄土に還りませし、聖人を偲びまいらすにはふさわしい時である。

聖人の歩みは日蓮の如く華々しくはなかった。救世主を気取ったような衒気《げんき》もなかった。しかし大地に生きる者としての全てが、自然であり、真実であり、素直であった。我等は科学を知らねばならない。道徳を歩まねばならない。あらゆる文明文化の人間一切の営みが、社会をよりよく建設するためになくてはならないものであることはもちろんである。しかし我等はそれらに忠実であると共に、更に深き智慧海に入って人間性の本質をつかみ、大地に対する深い認識を持たねばならない。人生それ自体の本当の相を諦《あき》らかに知らねばならない。

聖人はその生活に忠実であった。そうしてあらゆる独断と偏見とをさけて人生の素裸に直面せられた。その忠実なる魂の真実の声が、聖人の書き残されたお聖教《しょうぎょう》である。我等、今、お聖教を通して現実の聖人に会い、聖人と語るのである。

永遠の動乱

我等はまことにこの大地の上に理想郷を建設したい。あらゆる方途によって、できることなれば大地の上に理想郷を生み出したい。現在においても、新しい村を造ったり、集団を作ったりして、理想郷を夢みている人たちがある。「神の国、天国は近づけり」とはキリスト教の牧師によって叫びつづけられた古い命題であった。

しかし、我等の地上に一度でも天国が来たか、理想郷が生まれたか。来る日来る日の新聞種、社会問題、形こそ違え、文句こそ異なれ、大地は動乱をくり返している。而《しこう》してこの動乱は静まる時があるだろうか。

現代の社会科学は、この動乱の永遠であることを教えた。かつてはなくてはならないものとして重要なる役目を果たしたものも、それが生じたるものである以上、必ず滅する。それは釈尊の叫んだ生者必滅《しょうじゃひつめつ》、会者定離《えしゃじょうり》、諸行無常《しょぎょうむじょう》の法則であって、この鉄則に支配されざる何ものもない。

しかしその役目をおえて無益有害の姿となって滅んでいくものの裏《うち》には、すでに新たなるものが強い力を持って生まれ出ようとしている。この新たなるものが滅びゆくものに取って代わろうとする時、そこには常に恐るべき戦いがなされる。歴史は実にこの治乱興亡の跡にすぎない。長い眼で見た時、それは善が悪に勝った相ではあるが、新しい強い勢力が弱い旧い勢力を亡ぼすのである。この大きな矛盾が統一されたのが、社会であり、我であり、宇宙である以上、大地の上には永遠に理想郷の生まれ出ようはずはない。「生死の苦海ほとりなし……」。この聖人の叫びが如何に強くひびくことよ。

動乱の只中

聖人は九歳の時から二十九歳まで、顚倒されたる眼で大地と我とを見ようとしておられたのであった。それは自分を改造して宝玉の如くなりきられ、善を行おうと思えば行い得るし、悪をやめようと思えばやめることができる、そうして美しく清らかに自己を改造することが出来た時、大地の上もまた美しい浄土であらねばならない。

しかしこうした美しい夢はついに血みどろな体験を通して破られねばならなかったのだ。それは一つの錯覚でしかなかったのだ。「さるべき業縁のもよおせば」いかなる罪悪でも犯す存在であり、戦々恐々として薄氷をふむが如く、内観を深めれば深めるだけ、深刻なる光を仰げば仰ぐだけ、底なき暗黒の深淵それ自体が我であった。

ついにこの幻が滅ぶべき日がきた。美しくなることも清らかになることもできない絶対の日、しかしそれは又永遠に救われる日であった。

大地は永遠に動乱の世界なのだ
大地は永遠に闘いの世界なのだ
大地は永遠に生死の苦海なのだ

大地は天国も極楽も現われる時はない世界なのだ
「生死の苦海ほとりなし」
しかも救いはそのただ中にあった
人間は決して仏ではない
その足は永遠に大地から離れないのであった

道

しかし「道」は人間である以上考えざるを得ない。その道とは決して人生をガラス板上から見たようにするためにあるのではなかった。動乱を無くして硬化せしめることも、動乱を加えることも道ではなかった。この動乱のただ中にこそ道はあるのであった。動かないことは死ぬことである。天地も社会も人も死物ではない。生きているとは動くことである。しかしどんな散り乱れる世界にも、そのただ中に統一がある。海あるが故に船があり、山あり荒野あるが故に道路がある。

「生死の苦海ほとりなし」。しかし、「久しく沈める我等をば」のせて必ずわたしたもう弘誓の船が見出された。この弘誓の船こそ、如来それ自身であり、本願の大道であり、大きな統一であり、永遠の微笑であり、人間生活の真の浄化であり、道それ自身であった。

人間性に

我等は人間として大地の上に次なる新しい社会を創造するために真に役立つ生き方をしたいと思う。しかし、右往左往することだけで、あるいは形態だけを改めることによって、社会はよくなるのであろうか。人間及び大地は、「十を二で割ると五」とはいかない複雑性を持っている。人間の心の奥に巣くうもの、大地の底の秘密は我等の世界にもっと深い生き方を求めはしないか。いいえ人間心それ自身の中に、もっと深いものを求めてはいないか。

私は聖人の世界に無限の親しみを持つ。人間性のどん底に立ちかえった時、一切のはからいや技巧に満足できなくなって、自分の本然《ほんねん》の相に還らんことを求める。聖人によって叫ばれたる愚禿の体感は、あらゆるこだわりを棄て、はからいを出でて、自然法爾《じねんほうに》なる本然の相に還《かえ》られた世界である。真に如来は衆生をして限りなく如来に、浄土に、往相還帰《おうそうげんき》すべきことを求めたまい、内に衆生を招喚して、我等の一切の技巧と虚仮《こけ》とを打ち砕いて、大信海《だいしんかい》に摂取したもうのである。

往相の人

聖人は一生ついに地獄生《は》え抜きの愚禿として凡夫として生きぬかれた方であった。聖人には全く、浄土より来たれる者、如より来生せる権化の聖者たる意識がなかった。すなわち、浄土を背景として生死に君臨する還相《げんそう》の人なるぞ、との聖者的な意識のない方であった。聖人の意識界は全く、浄土に、仏に召されて、往相《おうそう》するより外何ものもなかった。

「小慈小悲もなき身にて　有情《うじょう》利益《りやく》はおもうまじ
如来の願船いまさずば　苦海をいかでかわたるべき」
（島地一一―四〇、西六一七、東五〇九）

「是非《ぜひ》しらず　邪正《じゃしょう》もわかぬこの身なり
小慈小悲もなけれども　名利《みょうり》に人師《にんし》をこのむなり」
（島地一一―四二、西六二二、東五一一）

大慈悲ゆえに人師となるのではない。ただ名利の不純に泣くのであった。しかし、そこにこそ、鋭い批判が光っている。還相の菩薩だと立ちたまわないところに聖人の真面目がある。ただ往相の一道を歩みたもう聖人を拝する時、微塵の不純なき往相一つに生ききりたまえばこそ、その無意識界には如来こそ至純に還相ましますのである。

往相とは浄土への行であり、還相とは浄土より生死への大悲である。聖人の往相は如来の還相と一体である。衆生の不純なるはからいが微塵でも加われば、それだけ如来の光明はおおわれる。如来が生死に動きたもうその至純至聖なる光明にあいたてまつる時、いかに凡夫の技巧が加えられようぞ。

実に人間は、内部の空虚さや不純さを見ないで、ともすれば外に外にと躍ろうとする。外に躍る人はある。そうしてその人を見て、あるいは拍手喝采する傍観者、見物人はいる。しかし限りなく求め限りなく歩む往相の人はいない。

今、我らは聖人を偲ぶにふさわしい冬を迎えようとしている。雪の中の聖者、貧しいさすらいの聖人、偉大なる人間としての聖人を憶念しつつ、我もまたその残したまえるみあとを慕って、ともすれば化城《けじょう》に懈怠《けだい》たらんとする我を出でて、願力の白道をたどらせて頂くことを切念せずにはいられない。

第四章　化城を出でて

如来の本願は

浄土より人生に　仏より衆生にはたらきかけて

衆生の迷妄を限りなく全否定し

その全否定を通して如来の真実を全肯定し

我及び人生の内容となろうとする

一　久遠のみ座

「君もっと勉強したまえよ。学生がなまけてはいけないよ」

「あなた、何事をする時にももっと気をつけて丁寧に綿密になさいよ」

「そうあなたのように何も彼も、ひがんで、まがってとるものではないのです」

こうした他人からの忠告や教化を受けた時、私の魂の動きをじっと見つめます。生意気にも私の魂はすぐその忠告や教化をおしのけてしまうのであります。

「何だやかましい。それ位のことわかっているさ」

「そんな小さなこと、やかましく言わなくてもいいではないか」

「他人に忠告がましいことを言うよりも、お前自身に気をつけたらどうだ」

そんな風に一切の教化に従わない強情な魂が腹のどん底に動いています。

邪見憍慢の悪衆生とはこうした魂の強い者を言うのでしょう。憍慢、自慢の心は何でも自力で立て得ると思う心であります。孤立して生きて行こうとする心であります。全ての教化をふりすててしまう心は、自分ほど事理《もの》のわかった者はいないと、鼻の高い心であります。自分のほんとうを知らない天狗であります。自分を過信している者、自慢心でいる者に、他人の忠告や教えが耳に入ろう道理がありません。

私は私のこの心を見つめて泣くのであります。

鼻もちならない汚い心であります。太る心芽《しんめ》のとまった心であります。修養も向上もなくた心であります。三世諸仏のみ心にかなわない心であります。夫は妻のこの心に愛想をつかし妻は夫のこの心に苦しみます。親は子供のこの心について心配します。子供は親のこの心のために親から離れていきます。争いはこの心から生まれるのであります。憍慢心のあらわれた所は修羅場にかわります。他人から愛されない心であります。他人を真に愛せない心であります。

もし人が謙虚なへり下った心になることができるならば、世間一切は教えに満ちているのであります。三歳の童子の言葉にも、金言は語られています。ただ私どもはあまりに高慢なのであります。一切諸仏は心に一物持たないで、静かに一切諸仏の声を聞くのであります。一切諸仏はこの邪見憍慢の心のない方であります。真実に「聞《もん》」の世界に出た方であります。

諸仏は心のわだかまりなく思いのままを説法します。そうして何ものにも動かされない信念に住しておられます。聞くことによって動揺は致しませんけれども、素直に諸仏の説法を聞いて、それを讃嘆せられます。諸仏こそ、ほんとうに聞き得る世界に生まれ出た方であります。諸仏にはこの、汚い醜い、一切の教化をしりぞける心の動きはないのであります。一切の教化をしりぞける心は悪魔であります。私を迷い深く導いて行こうとする悪魔の心であります。私どもはどうすればいいのでしょう。

静かに教化の前に坐して、心から耳をかたむけることのできる人は恵まれた人であります。私は何のわだかまりもなく心のありたけを捧げて、一切の教えの前に信順する素直な心の方を拝みたいほどの心がいたします。

仏は本願成就文で、「聞けよ」と私どもに教えてくださいました。聞くことによって真実に永遠に生きる道は開けてくる。ただただ聞くのであります。腹に一物持たないで聞くのであります。後生の一大事については、心の糧は聞くことによって得られるのであります。「聞其名《もんごみょう》号《ごう》」。この四文字こそ一切衆生の魂の内にほんとうの道の開けてくる唯一の方途であります。体には食物を口からとります。魂の食物は心耳《みみ》から聞くことによって得るのであります。困難な苦行によらないで、ただ聞くことによって広い世界に出られるのは、易行の他力であります。けれどもそれは幼児のように素直な心の持ち主にとってこそ、たやすい道でありますけれど、一切の教化を退ける悪魔の巣くう者にとっては、難中の難これにすぎた難はないのであります。そこでただ聞くということも難しい道になってしまうのであります。

釈尊の悲涙

釈尊は『大経』五悪段に仰せられました。

「慈心教誨《じしんきょうげ》し、其をして善を念ぜしめ、生死・善悪の趣《しゅ》、自然《じねん》に是れ有ることを開示すれども肯《あえ》て之を信ぜず　苦心《ねんごろ》に与《とも》に語れども其の人に益無《やくな》し、心中閉塞し意《こころ》開解《かいげ》せず　大《たい》命《みょう》将《まさ》に終らんとして悔懼《けく》交《こもごも》至る、予《あらかじ》め善を修せず、窮《きわま》るに臨みて方《まさ》に悔《く》ゆ　之を後に悔《く》ゆとも将何《はたなん》ぞ及ばんや」

（島地一―六五、西七〇、東七四）

何という徹底した教えでしょうか。高慢な者への鉄鎚であります。「慈心教誨し」。慈悲の心で教えてやっても、との心であります。慈悲の心から出た教えすら、憍慢な心ははねつけるのです。「生死・善悪の趣、自然に是れ有ることを開示すれども肯て之を信ぜず」。自然の道理、因果の道理によって、善いことをすれば善い報いがあり、悪いことをすれば悪い所の報いを受けねばならないことを開示《おしえ》ても、それを信じないのであります。いかに「ねんごろに語れども」邪見憍慢で心の扉を閉じてしまって「意開解せず」であります。

こうした鏡に自分を写した時、心の奥ははっきりと照らし出されてその見苦しさにおどろきます。そうして私どもはこの心と戦おうとするのであります。あとかたもなくこの心の悪魔を追い払おうと苦心するのであります。この悪魔がいる間、私の真実の道は開けてこない気がするのであります。

折らないままに折れる心

ある地で講演の開かれた時でありました。一人のおじい様が宿をおとずれました。そうして私に申します。

「先生！　私の言うことを聞いてくらっしゃいや。わしは今日まで六十何年生きているが、あまり悪いことをしたことはない。人のものを取ったこともなければ、格別無理をしたこともない、出すべき金は出してきた。善い人間でもあるまいが悪い者とはさほど思わん。地獄者と聞けど何ともない……」

私はそれを聞いてただ、高慢な男よ、と思っていましたが、そのおじい様は態度を一変して語り出しました。

「先生！　このじい奴は、邪見で、高慢で、鼻もちならない奴です。このじいの性根がおどろくほど、叩くとも、蹴るとも何なりとして御意見してくだされや」

おじい様は泣いています。私はそれを見た時、思わず念仏いたしました。何という尊い高慢のなくなった心でありましょう。この心こそ、自分の高慢な心を見て泣いている尊い魂の目覚めであります。果たせる哉、おじい様は涙の中から念仏しつつも「先生！　この致し方のないじいの汚れた強情我慢な心こそ、み仏様のお慈悲のおめあてであったとは、どうしたお慈悲でありましょう」と語りました。

そうです。そうです。これが人間最後の目覚めであります。彼のじい様は、高慢我慢のとれない泥凡夫だと、心の角を折られたのです。折らないままに折られたのです。折れない心との戦いをやめて、折れない自分に泣いたのです。そうして、折らないままがまるめとられたのです。高慢な心をいじめていたのが、主客顚倒してその折れない心を抱いてやったのです。否、折れないままが、南無阿弥陀仏に燃え上がった心によって抱かれたのです。

つまらぬ自力

私どもの心がちょっと美しい物語に感動した時などには、我慢な心もなくなったようでありま す。一切の醜さを失ったようにも見えます。けれども心の奥にはやっぱり、このどうにもできない心が悪魔のように動いているのであります。この心と戦って、全くなくしようとつとめて、それがなくなったところに信仰を築こうとするのを自力というのであります。けれどもそれは百年河清《かせい》を待つのであります。取れない自力我慢をはびこらすのではありません。けれども、自力我慢をとりつくすことは出来ません。自力我慢をやめようとする努力を捨てるのです。そうしてとれないままが慈光に抱かれます。そこには真に邪見憍慢のすたった世界が開けてきます。

私どもの心の本丸には悪魔が立ちこめています。そうして哀れや「我」はこの本丸から追い出されて淋しく曠劫流転《こうごうるてん》の旅に出たのであります。悪魔は主、我は客、そうした心の有様が救われない者の心の内にあります。

私どもの心の内からは、貪欲《とんよく》の、瞋恚《しんに》の、愚痴の、赤鬼、青鬼、黒鬼、一つ目小僧、牛頭、馬頭、幽霊、群賊、悪魔、あらゆる軍勢が生まれ出でては「我」を攻めます。「我」は衰え、「我」は痩せ、「我」は迷い、鬼に責められる亡者となったのであります。

自慢、高慢、それは悪魔のなす業であります。諸仏にはありません。全ての教化をはねつける心、それは、「我」を追い出した悪魔であります。

久遠のみ座に

釈尊は、今や菩提樹下に静座して、大勇猛心をおこし、もし正覚《さとり》を成ずるにあらずばこの金剛のみ座を去らず、と誓いたまい、大精進に入られました。東雲《よあけ》の空は段々と晴れ、釈尊の正覚は近づくのであります。今や釈尊の「我」は彼の久遠のみ座にかえろうとします。霊の久遠のみ座は無量寿であり無量光であります。至心信楽であり、一心であります。

その時、釈尊の心中には種々の煩悩、妄想は勢いを逞《たくま》しうして、その正覚をさまたげます。その様はあたかも百千億万無量の悪魔が、あるいは虎の如く、あるいは獅子の如く、大蛇の如く、あるいは鼓を鳴らし、剣を執り、矢を放ち、あらゆる方法によりてその正覚をさまたげます。けれど釈尊は少しも退転しません。魔王はますます怒りて、大風をおこし、大雨を降らし、電雷となり、ついには魔の大群賊を全てくり出してさまたげます。あるいは魔女となって秋波、艶口をもってその心を乱そうとします。

けれどもついには、悪魔は、本丸を侵すことはできません。釈尊は、一切の悪魔を降伏せしめて正覚のみ座に「我」を見出されたのであります。無上正真道を体験せられたのであります。かくて釈尊は『法華経』にその本門を開顕して、久遠実成の仏だと申されました。

覚めきった涙

人は酔いきった時、泣きます。芝居を見て泣きます。哀音を聞いて泣きます。芸術に酔うて泣きます。雄弁なる言説に泣きます。けれどもこうして酔うて泣くのは一時的であります。人は又覚めきって泣きます。罪を犯して罪に追われて、貪欲・瞋恚の悪魔に追われて、牢獄の囚われ人になった男が、冷たい牢屋の内に、眠れない夜を罪に目覚めて泣く涙は、自分の実相に目覚めて泣く涙であります。「目覚めて泣く涙」そこにこそ、一切の問題は開けてきます。そこにこそ救済も信仰も生まれてきます。この涙こそ魂が久遠の宮居に復《かえ》ろうとする働きであります。地獄一定の体験もここに生まれます。

私はみ仏の慈悲の中に酔うことのみをもって信仰と心得ることを好みません。酔うことのうちに何を産み出す力がありましょう。酔うている時は悪魔の心の裏に眠る時であります。単なる法悦に自分を見失うてはなりません。恩寵にいだかれた心の裏に、悪魔の群をかくしてはなりません。

さめた時、目覚めた時、そこには一切の悪魔の如き根強い軍勢が出てきます。かくてその悪魔に攻められて痩せほそりたる「我」を見るのであります。一切の教化をはねつけようとする努力は悪魔最後の努力であります。

いざいなん

「帰去来《いざいなん》、魔郷には停《とどま》る可からず　曠劫より来《このか》た流転して、六道盡《ことごと》く皆逕《へ》たり」（『定善義』）

（島地一二―一五六、西三六九、東三二一）

これは善導大師のお言葉であります。その味をとってください。誰か、他郷を捨てて本国に帰ることを願わないものがありましょう。

魔郷にとどまるとは悪魔の世界にいることであります。本尊を鬼にしていることであります。八万四千の悪魔に追われて、今日も明日も、かくて永久に、亡者の如く苦しむことであります。こうした相にさめねばなりません。目覚めねばなりません。

聞光力

『大無量寿経』は人類の生命の書であります。易行の大道は大経の上に開かれてあります。久遠のみ座に魂がかえりゆく姿が表されてあります。教えを示してあります。下巻、本願成就文のうちには「聞其名号　信心歓喜」と一切衆生の道は「聞」ということによって開かれることが説いてあります。

「親鸞におきては『ただ念仏して弥陀にたすけられまいらすべし』とよきひとの仰せを被《こうぶ》りて信ずるほかに別の子細《しさい》なきなり」（島地二三—一、西八三二、東六二七）

聞くのは、「よきひと」のおおせであります。「よきひと」とは真実に信じ得る人であります。善知識であります。善知識のある人は恵まれた人であります。「おほせをこうぶる」、仰せを聞くのであります。真実の生命道に生まれ出ずる道を何のわだかまりをも持たないで聞くのであります。「聞光力《もんこうりき》」とは「光の力を聞く」のであります。阿弥陀仏の不可思議なる光明の威神力を聞くことによって信念の世界に出ずるのであります。けれども一切の教化をしりぞける魂にとっては「聞く」こともまた難しいことになってしまいます。

「弥陀仏の本願念仏は　邪見・憍慢の悪衆生《あくしゅじょう》　信楽《しんぎょう》受持すること甚だ以て難し　難《なん》の中の難《なん》斯に過ぎたるは無し」（島地一〇―三、西二〇四、東二〇五）

邪見・憍慢の悪衆生！　の文字が如何に私どもの心に響くことでしょう。これ故に一切人には自分が見えないのです。正法《しょうぼう》の前に頭が下らないのです。一切の教えが心耳《みみ》に入らないのです。けれども悪衆生たる自分を見出した者はそのままではいられません。

そのままの道

我慢な心に困りました。そうしてこれを取り去ろうとしました。けれどもこれを取り捨てることはできないのでありました。けれども、しかし道は開いてきました。

我慢をとり去ったと思う時、私どもは次の我慢に入るのであります。「高慢で我慢で仕方がありません」と泣いたおじい様を横目から見た時、それはそのままが我慢の去った尊い姿でありました。これは心の世界の神秘な有様であります。懺悔したと思う心は浅い心でありますが、懺悔もしてくれない自分を見出した者は、懺悔《さんげ》したなど呑気なことを言ってはいられません。懺悔し得ない自分に泣いている者こそほんとうの懺悔の人であります。「自慢高慢」の鼻を自力で折ろうとするはからいのなくなったところにこそ、ほんとうに我慢の角は折れています。雑行雑修とて、仏への道に嫌われる心は、この取りのけようとするはからい心でありました。不思議や、一切ありのままの中に、「そのまま」の道は開けてきます。

仏凡一体

本丸の中から不思議なる世界が開かれ、久遠の宮居から不思議なる声は響いてきました。南無阿弥陀仏。

「『弥陀の誓願不思議《せいがんふしぎ》にたすけられまいらせて、往生をばとぐるなり』と信じて、『念仏申さん』と思いたつこころの発《おこ》る時」

（島地二三一一、西八三一、東六二六）

それこそ、本丸の裏に起こった勝ちどきであります。東雲《よあけ》の光であります。そうして念仏は、弥陀のみ声であり、私の凱歌であります。亡者の如き我は、ここに立ち上がったのであります。

仏は我と一体になりたもうたのであります。我はそのまま、炎王光仏《えんのうこうぶつ》と一体になって燃え上がったのであります。我は久遠のみ座にかえっています。仏の招喚の声と、我の憶《おも》うこころとの別はありません。仏の信はそのまま我の信であります。

逆謗の屍体

こうした相を我が内に見いだした時、救われたと申します。こうした久遠のみ座にかえった我を真我といいます。無量寿、無量光に生かされた我であります。ここに開かれてくる世界を価値世界といいます。

常に仏への世界を歩んでいます。一歩一歩の上に浄土が開かれています。心の内に仏の声を聞いています。一切善知識の発遣の声を聞いています。心に仏の声を聞き得る所にのみ仏はいます。そうして仏のいるところには白道《びゃくどう》が開けています。白道とは不退の向上の道であります。本願一実の大道であります。生死の苦海を渡る弘誓の船であります。この白道と、声と、真仏と、この三者は一つであります。一つのままが三つであります。三者はただ私の内の一つの名号となって表れます。

悪魔が現われて来ます。けれどもそれは我をおかすことはできません。彼らこそ抱きとられています。いかに彼らがはびこっても、それは本丸の主でなくて、一度死んで蘇った愛らしき客人であります。愛子《まなご》であります。彼らがいたればこそ、この道は開けたのであります。彼らを愛してやりたい心になります。彼らこそいわゆる「逆謗《ぎゃくほう》の屍体《したい》」であります。逆謗とは悪魔であります。大信心海にうかぶ数多の悪魔を救ってやりたい心であります。

「名号不思議の海水は　逆謗の屍骸もとどまらず
衆悪《しゅあく》の万川帰《ばんせんき》しぬれば　功徳のうしほに一味なり」

（島地一一—一二六、西五七五、東四九三）

これは親鸞聖人がこの世界を味わわれたものと思います。
久遠実成《くおんじつじょう》の弥陀……十劫正覚《じっこうしょうがく》の弥陀……法蔵菩薩……釈尊……十方恒沙《じっぽうごうじゃ》の諸仏……、かくて久遠のみ座は光にみちています。にぎやかな世界であります。

二　化城を出でて（一）

問題

一体、他力思想ほど間違ったことになり易いものはありません。

腹が立ち易いからそれが嫌なので、自分からそれを直す工夫をしていると、それでは自力になるという。あんまり貪欲の日暮らしがあさましいと思われるので貪欲の心と戦っていると、それでは自力だという。愚痴ばかり言うと家の中が暗くなるので、世を厭うしるしにこの愚痴が念仏と入れ替えられると、それでは自力の念仏だという。こうなると飯を食えば自力、講演や説教を聞きに行けば自力、目覚めると自力、何でも彼でも自力になって遂には他力で救ってもらおうと言えば寝ているより外には仕方がない。こんな馬鹿な他力を釈尊が説かれたり、七高僧や親鸞聖人などが体験したり、書き残したりされたのであろうか。もしそんなものが他力であるならば、他力思想はもっと昔に亡んでしまったはずである。また、そんなことが他力であるならば、他力ほど狭い窮屈なものはない。せっかく嫉妬心の苦しいことに目覚めて、この地獄のような苦しみから脱《のが》れたいと自由を得たさに修養していると、それが自力になると言われたのでは、さっぱり苦しくて、末には身動きもできなくなる。他力とはそんな窮屈なものなのだろうか。

自然

他力とは自然《じねん》ということである。しかし自然と言えば花が咲いたり、波の音が美しかったりすることではない。私どもの人格が、自然の美しい力に動かされて後退のない向上の大道に出してもらうことである。

自然主義という言葉が、西洋思想から日本に紹介されてきた。文芸上、ことにこの自然主義ということが一時盛んに言われたが、この西洋から入った自然主義は、本能生活をそのまま許す自然主義であった。食いたいから食う。寝たいから寝る。強い情、弱い意志、克己もなければ、自治もない。人間の醜悪な本性のままに動いていく。金も使えよ、お酒も飲めよ。奥さんと書生が駈落をする。華族の令嬢と運転手が一緒になる。人の情を侮ってはならない。自然のままの生活が本当だと、随分この思想は日本の社会状態にひどい変化をおよぼした。もちろんある一面いい所もあるが、大体においてこの自然主義は本能自然であって、仏教にいう自然ではない。

光へと動く

自然法爾《じねんほうに》のお救いだと親鸞聖人は言われたが、「私はお寺に参ってお説教を聞いております時は、このまま死ねばお浄土だと思われるほど有難くてもったいないのですが、家に帰れば、すぐ悪い心が出てきます。どうすればいいのですか」。たいがいの者がこう言って問います。お他力と言えば、涙を出して泣いて喜んで、胸がすっと清められたようになったことだと思っているらしい。歓び躍っていることが他力なのだろうか。それも人間の一つのはからいであって他力自然ということではない。然るに多くの者は、涙を流して法悦にひたることを他力だと思っている。

先日ある所で、一人の同行に会った。十年間も有難い念仏の日暮らしが続いて、金剛の信心を得たつもりで、我もゆるし他人もゆるすあっぱれの行者であった。それがある僧侶に出会ったらがらりと崩れてしまった。

十年間も、得た気で他人にまで語っていた時には、得たのでなくて、化城《けじょう》にふみこんで腰をかけていたのである。そんな時には、ただ有難いばかりで、他の同行が苦しむのを見ればかえって高い目で見下げて、自分は求道はやめてしまって、復習のために寺参りしたり、あっぱれ報謝気取りで説教を聞いたりしているので、他力どころか自力のはからいに落ちているのである。

自然は成長するものである。動くものである。進歩向上するものである。一か所にとどまったら自然ではない。他力の信念と言えば、何か固いものを内に持つことであると思う。だから一度信じたらそれきり動かないもの、向上しないもの、進まないもの、何度寺に参っても「そのまま来いよ」と聞いておれば、それが他力だと思っている。しかし、それは他力でも自力でもなくて単なる話である。一度や二度、大悲の話を聞いて泣いたと言っても、それは一時的の感情の沸騰であって真の信仰ではない。

他力の信念は動くものである。光へ光へとどこまでも向上するものである。と言えば、「求めて求めて行きさえすればいいのですか」と、また、私の方で一つの型にはめようとする。「そうではない。微塵の条件もない。小鳥が虚空に放たれたように自由な世界が他力に救われた世界である」と言えば「それならこのままどうもせずに寝ていてもいいのですか」とまた勝手なはからいに腰をかけようとする。「一体、阿弥陀如来が絶対の慈悲で助けてくださるというのならば、求めようが聞こうが聞くまいが、一人残らず、お浄土へ連れて行ったらいいことだ。目覚めよとか、信ぜよとか、称えよとか、そんな条件がましいことを言わねばいいのに」。こうした質問を青年の方から聞くことが度々である。お浄土参りという功利的な信仰で、他力々々と他力を間違えていると、こうした質問が出るのももっともである。しかしそれは救済ということの真の意義を知らない者の言うことであり、他力ということが全く間違えられているのである。

寝ている子を車にのせて運んだり、石に綱をつけて引いたりしていくようなことが他力ではない。

功利主義から出て

信仰と言えばどこまでも功利的に考えられる。信仰は信仰が目的であり、主眼であり、全体であって、何かのためにするのではない。信仰に入って金が儲かるように、家内安全、長生健康を得られるように、お浄土に参って百味の飲食を戴いて寝ていられるように、そんな考えの全部が功利的の考えであって、真実の信仰生活とは関係のないことである。そうした場合には神でも仏でも偶像にかわってしまい、種々なるはからいを作って、更に迷いから迷いに深入りすることになる。

信仰に入れば、死の問題の解決がついて、成仏することができたり、現実の歩みの一歩一歩が、不退の位であったりすることは、信仰の内面から開けてくる必然の徳能である。

御信心を得たらお浄土へまいられる。それが大部分の人の考えである。その場合には、信心そのものが目的ではなくて浄土が目的である。信心は浄土へ参るための切符にすぎなくなる。

手段にすぎなくなる。そうした場合の信心は決して内面的に尊いものを生活せしめることにはならないし、信じようとすること自身が大きなはからいになってしまう。概念である。概念の遊戯をはじめると、真仏の姿は偶像に変わって疑雲の裏にかくれてしまう。偶像は相対的に私に対立するから益々はからいをもって結ばねばならなくなる。この結ぼうとするはからい、概念の遊戯をくり返すことを求道のように考えて、一生を何でもないことに費やしているのが大部分の求道者である。

「一体どう信じていたらいいのですか」

「どう思っていたらいいのですか」

というのが大方皆である。どう思っているのも駄目である。偶像と私とをつなごうとするための努力は全てが駄目である。それは功利主義のずるい考えだからである。阿弥陀仏は決して偶像ではない。偶像でないものを偶像にして、過去の聖人たちが通った足跡をまねて、その足跡を鋳型にして、その型の中に自らはまって行こうとする。そうしたことを道だと思っているが、その場合には、型にはまろうとしたり、はまったと思ったりしていること自身が、化城である。腰かけである。魂は執《とらわ》れていて決して救われないのである。

誰かが「有難い」と言う。「そのまま」とか「地獄行きのまま」とか「信仰に入っても何ともない」とか「罪悪に目覚めた」とか種々な言葉を聞くと、有難くなったり、そのままになったり、地獄行きになったり、何ともないという型に入ったりしようとする。そうして型だけ早く、なるべく努力をしないで、結果をつかもうとしてあせる。時には、結果をつかんだと思って得意になる。それが恐ろしいことである。それではいけないと誰かが言うと、がらりとくずれてそれではどうすればいいのですかと出る。かくして果てしなき迷いに入っていくのである。功利主義を出ないことには真実の仏心に目覚めることはできないのである。

独自の世界

芸術でも道徳でも、宗教でもそれは決して何かのために生まれたものではない。人の心の眼の開くところに生まれ出でたものである。音楽を聞き得る心、絵を見ることのできる心、自然の風景を鑑賞し得る心、その心の眼が高く成長することがそのまま芸術心である。その芸術心の表現が芸術である。表現には技巧がいる。しかし技巧は表現形式であって芸術ではない。だから技巧だけ上手である時には、真の芸術ではない。心を育てたり培ったりしないで、技巧ばかりに苦心していると、看板絵書きができたり、楽器に執われた音楽家ができる。

何故正直にするか。それは信用を得るためである。信用を得たら何になる。それはお金がよく儲かる。だから正直にする。それは決して真の道徳ではない。何故正直にするか。それは正直にせよと教えられたから。それも真の道徳ではない。正直にすることはそのまま道徳心の満足であって、正直にしたいから正直にする。それが真の道徳である。正直にすることそれ自身より外に何の功利主義も伴わないところに権威があるのである。信用を得られるということは、その内面に含む徳能であっても決して正直を強いるための目的ではない。

宗教もまたそうである。信仰に目覚めたとか、念仏するとかいうことは、それ自身がそれ自身であって、決して極楽往生の目的のための手段ではない。信仰すること自身が魂の救いであり、充実であり、浄化《じょうか》であり、聖化《せいか》であり、創造であり、満足であり、感謝であり、喜びであり、向上であり、発展である。

まず、死後の地獄の苦を説き聞かされて、極度の恐怖心をそそられ、次には極楽浄土の美しさ楽しさを説き聞かされて、その地獄をさけて、極楽に行くには信心さえあればよいのだと聞かされて、信心をこねあげることに心を苦しめているのが現実の浄土真宗である。けれども、これは現世祈禱のために偶像の前にひれ伏す迷信者と五十歩百歩の差であって、高級なる親鸞聖人の信仰の型だけをとって功利化されたもので、決して真の宗教ではないのである。

平面的見方から出て

信仰に入ろうと思えば、まず罪悪に目覚めねば駄目である、と聞くと、まず一生懸命罪悪に目覚めようとする。罪悪に目覚めて、いよいよ悪人中の悪人と知られた時、お救いを聞けば助かる、というので、罪悪観を作ろうとして、悪人だと言ってくれない、地獄一定と目覚めない、と泣いている。何のために地獄一定と目覚めるのですかと問えば、真の信心が戴けないからと言う。これも善導大師の二種深信《にしゅじんしん》を型にして、それにはまっていこうとする大きなはからいである。罪悪に目覚めるということも、それでは一つのお芝居である。閑《ひま》のある遊事《ゆうじ》である。もう罪悪に目覚め得たと思う時、それは魂が硬化し、腰をかけたのであって、救われることはできないのである。真の宗教ではない。

まず罪悪に目覚めて、次に如来のお救いを聞いて、信心になって、報謝の生活をして、とはあまりに平面的な考え方である。信仰は全一な立体的なものであって、切れ切れに集まった寄木細工でもなければ、つまみ細工でもない。たとえ親鸞聖人が時に我を見つめて悲歎懺悔し、時に感謝法悦せるようでも、それは純一全一なる信仰味の種々なる相であって、感謝はそのまま懺悔であり、懺悔はそのまま感謝であり、精進であり、努力であって、決してその間には何物のはからいをも混じえることをゆるさないのである。

罪悪に目覚める所、そこに動く者は仏心である。仏心の動くところ、そこに感謝がある。不徹底なはからいに住んでいるならば、あさましき我に目覚めた時、そこへ救済の教義をひいてきて結びつけねば承知ができない。我と如来とはいかなるはからいをもっても結びつけることはできない。結びつける必要もない。

安心の中より向上あり

得たと思うは得ていないのである。然らば得ないと思うてさえいればよいのですか。それもまたはからいである。

信仰の世界はとどまらぬ世界である。流れていく、深まっていく。得たと思うてとどまるところ、それはもう心の停滞である。腰かけである。得たと思わないままでいいのだと言ってしまえば、それもまた大きなはからいである。

我等は永遠の未製品である。未製品であるが故に完成へと進んでいく。然らば常にびくつく世界かと言えば、そこには徹底せる安心《あんじん》がある。いかなる苦悩に出会っても消すことのできない信念と微笑がある。しかしそのままにちっともじっとしていることができない。じっとしていることができないところに進歩があり発展がある。信とは流れる世界であり、とどまらぬ世界である。もちろん安心のできる世界である。

光は未来から来る。未来から流れて来る光は、現実を統一して、現実の上によろこびと、光への向上とを与える。人の心にわずかでも微笑があるならば、必ずその前途未来には光がある。光は何時も未来から来る。真に未来に光を有する者は現在に安住する。そして、真に未来から光に招喚されている者は、安心せるままに、光に向かって精進し努力する。信の世界は流れ動いてとどまらない。

法蔵の願心

他力とは自然である。自然は流れるものである。前にも言ったように、本能的自然ではなくて、願力自然である。第一義的自然である。

まことに現実の我を真に救う者は法蔵の願力である。法蔵はまことに現実の救主にてまします。法蔵の願力とは至心より生まれ出でたものである。いや、至心そのものの活躍である。阿弥陀仏は内面的絶対性の表現である。久遠の如来が、現実の我一人を動かし、我一人を覚まし、我一人を救う現実の姿は即ち法蔵である。如来が久遠の暗黒である衆生心の中に訪れて、彼自身が衆生に即して動きたもう姿こそ法蔵菩薩である。

智慧は自然である。慈悲もまた自然である。如来の救済的意志を本願力という。本願力の内面的実相は智慧であり、慈悲である。

「智慧の念仏うることは　法蔵願力のなせるなり
　信心の智慧なかりせば　いかでか涅槃をさとらまし」

（島地一一―三五、西六〇六、東五〇三）

との御和讃は、私どもが、私に最も直接せる法蔵の願力に動かされ、彼自身の智慧が私の智慧となり、心の眼となった時、そこに念仏が生まれる。念仏する心は、如来の願作仏心《がんさぶっしん》に目覚めた心である。浮いた心から目覚め、安価なる安心を捨てにぎやかな道草を捨てて覚めたる心である。念仏する心は真昼に燈をともした心ではなくて、暗《やみ》に光の訪れた心である。

智慧は光である。如来の智慧によってのみ、我々は目ざめることができる。我に目覚めて如来をひきよせるのではない。如来によってのみ、久遠の我に目覚め得るのである。如来に目覚めた時、我に目覚めたのである。我に真に目覚めた時、如来に目覚めたのである。我に目覚めて後、如来に目覚めるのではない。如来と我との間には自力のはからいによる、安心とか、信心とか、たのむとか、まかすとか、よろこぶとか、このままとか、よろこばなくてもよいとか、遂にかかる何ものをもさしはさむことをゆるされない。信心によって如来と我とを結びつけようとすることは、かえって如来を永遠に隔離することになる。如来と我との交渉は直接であって、薄紙一枚をさしはさむことをゆるされない。

天も動けば、地も変わる。親も、子も、妻も、夫も全てが変わる。更に我が肉体さえ変わる。いいえ更に心さえ常に変わる。だから天も地も、他人も我も、思いも思案も、全てが間に合わない。たよりにならない。一切が間にあわない。一切に腰がおろせない。一切の所に住《とど》まることができない。一切を依《たよ》ることができない。一切を持つことができない。信の世界はそこに生まれる。法蔵菩薩のみ姿はそこに生まれる。阿弥陀仏は永劫の姿をそこに現わす。念仏がそこに誕生する。

念仏の世界はとどまらない世界である。持たない世界である。開ける世界である。精進の世界である。獲得の世界である。自然の生活である。はからいがない。力みがない。不安がない。生き生きとして伸び上がったのである。生きることに輝いている。結論を持たない。彼は無智を知るが故に常に出発の今に立っている。彼には足がある。足があるから動く。とどまるべき化城を持たない。

三　化城を出でて（二）

化城とは、私どもの魂が不退に信念の世界を向上させないで、結論に腰をおろしてとどまる場所であります。長い旅のお宿であります。旅に出ても宿屋にはいって出ていかなかったら、道ははかどりません。多くの人たちは何かの世界に足をとどめて動かず進まずにいるのであります。

七宝の牢獄

ここに、金・銀・瑠璃《るり》・玻璃《はり》・珊瑚《さんご》・瑪瑙《めのう》・硨磲《しゃこ》等の七宝で飾られた玉の御殿がありましても、一日や半日それで遊ぶのは、面白いことであっても、それは出口がなくて、十日も二十日も入れられて一歩も出ないことになれば、その七宝の御殿は牢屋になってしまいます。七宝の牢獄よりは自由な板小屋の方が好きでありますと思って、信仰とは歓喜がそれであると思って、足元も手元も忘れて唯、法悦、いえ感情の陶酔に自分自身を見忘れている者は、自由の真信仰の味はわからないのであります。人はこうした美しい七宝の牢屋に、横着をきめこみたい狡《ずる》い考えもあるものであります。目覚めた姿は決して、七宝の御殿に昼寝をしているような呑気な、だれたものではないのであります。

「象牙の塔」を出るとはこうした牢獄から出ることでありましょう。人々は何かに囚われています。財産とか地位とか名誉とか、女とか、概念、哲学、歓楽、そんな結構なものの中に入って、いい子をして眠っています。

眼がさめたらそんな窮屈なところに入っていられなくなります。

二つの囚われ

地方に講演に出かけていわゆる同行たちに聞いてみますと、恐ろしい二つの囚われをもっています。

それは、「このまま救ってくださる」という言葉をもってきて、その上に腰をおろしていることと、今一つは「この悪い心はやまないのだ。これをやめてこいとはおっしゃらないのだ」と、「悪を我《われ》」と我《われ》がゆるして、その上に腰をかけていることであります。

どちらも恐ろしいことであり、真実生活が永遠に影をひそめてしまう大きな躓《つまず》きであります。「このまま」という言葉は、それも一種の信仰の型であります。切れば血が出て、突けば涙の出る私の胸（実機《じっき》）とは関係のない一種のはからいでしかないのです。「雑行雑修自力の心をふりすてて」とあるのは、こうした概念の遊戯をやめよとのことであります。

過去の体験者が自分の信仰味を言葉で表すと、後から来たものがその言葉を型にして、それになれないと言っているのであります。型にはまりたい、あるいははまれないと泣くのでありま す。型にはまったらそれは恐ろしい化城であります。

「このまま」という言葉をとってきて、暗い心が出たり、あさましい自分が見えたり、未来がおそろしかったりしますと、このままという言葉をもってきて自分の心をおさえてみるのです。しかしそれで安心のあろうはずがありません。真宗の同行は大概、「信心の戴きぶり」をもっていいます。そこで「先生、私はしかし、このように戴いていますが、それでお浄土にまいれましょうか」と尋ねます。信仰の検査をしてもらう格好であります。

如何に口で上手がならべられても、それは要するに一つの概念をつかんだのであり、言葉をおぼえたのであり、自力におちているのであり、化城にとどまっているのであり、はからいにおちているのでありますます。仏の眼が開かれて浄土への道に出ているのではないのであります。こうした人たちに、少し徹底した話を聞かせると直ぐに壊れてしまうのであります。こんなはからいが壊れるとまた歩みはじめるのでありますが、それが又、こわされることがきらいで、手にこの美しい造花を握って眺めていなければ承知ができないのであります。

真実信心の人は、結論や言葉や哲学に腰をおろさないで、彼岸の勅命に招《よ》ばれつつ未来へ未来へと魂をおどらせて進みます。信仰は酔うのではなく醒めていくのであり、深まっていくのであり、光へと不退に流れていくのであります。この概念を捕え、言葉に腰をおろしている人の信仰は、今日の私を培ったり、今日の私を導いたり、今日の私を救う力はないのであります。自分の今日のこの生きた胸をそっちのけにして、結論がくずれないように、言葉や理屈がおびやかされないように、堅くなっています。他人が「君の信心は違う」とでも言おうものなら、「金剛の信心だ。如来様と直の約束をした金剛の信心だ」と、とんだ所へ力こぶを入れて力みます。それが自力の堅信である証拠です。こうした世界に自分を欺いている人は即ち高慢であります。

高慢

高慢は、地獄に落ちていく者の持つ重要な性質の一つであります。このままという言葉を捕えて、信仰よばわりをしている者などが、ちょっとでも自分を内省することを忘れて、これでこれでと高あがりしているのは見られた様ではありません。自分で解決がついた世界、わかった世界、持った世界で高慢になるのは理の当然であります。天狗のたくさんいる世界は必ず暗くなり、戦いが起こります。小天狗の鼻こそ世界を汚くする最大なものであります。人が一度天狗になりますと進歩も発展もなくなります。天狗は強いと見たら、走って逃げ、弱いと見れば、弱い者の前で鼻を高くします。天狗は我が身知らずであります。謙虚な心持ちや道に精進する心などは持っていません。天狗が集まれば常に喧嘩は絶えません。仏教ではこの高慢な心を大変に厭うて、高慢な者は真実のみ国に生まれることはできないといっています。浄土往生することは出来難いのであります。キリスト教では金持ちが天国に行くことは、駱駝が針の穴を通るよりも難しいと言われていますが、高慢な者が真実のみ国に生まれることは、難中の難これにすぎたる難はないと言ってあります。高慢の者が浄土に行ったり、真実の生活者になったりすることは、日が西より出て東に帰るよりももっと難しいことであります。これにすぎた難は又とあり得ないのであります。

懈怠

横着から暇が出るというのは古今の通り相場であります。横着である、懈怠《けだい》であるということは、それ自身、罪悪であります。東西古今、横着者が成功したり、人の賞讃を受けたり、大事業をしたり、立派な一生を送ったということを聞いたことがないのであります。身も心も砕いて精進する者だけが、向上し、発展し、進歩していくのであります。物質生活では時に横着者がまぐれで一時に巨万の富を得ることもありましょうが、精神生活ではそれはゆるされません。一分も一厘もゴマ化すことが許されません。精進した人だけが、それだけ進むのであります。

このままという言葉の影にかくれてよく眠っている者にどうして精進がありましょう。このままということをずるい横着な生活の言い訳にしている連中は、自分の世話さえできないくせに他人の世話までして「真宗ではこのまま救うてくださるのだ。あの人のように今日も今日もと道のことばかり考えていなくてもいい」と申します。信仰というものを腰弁当くらいに考えているらしいのです。

法蔵菩薩が世自在王仏のみ前に出て、菩薩の大願成就のために法を聞いた時に、「四大海水の潮を一人で汲みほして、その底の宝をとることができるほどの思いがあればやれ」と言われ、法蔵菩薩は謹んでこの経の精神を体得して、永遠の精進の世界に出ていかれました。どうして横着がゆるされましょう。懈怠がゆるされましょう。法蔵の大願力に目覚めた者がどうして眠っていられましょう。横着がきめこんでいられましょうぞ。

この眠れる心が醒めて、仏の心に動かされる者にどうして懈怠がゆるされましょうぞ。仏教においてこの懈怠放逸のゆるされないことはもちろんであります。

多くの聖教を暗ずるもそれを行わず、放逸なれば
牧牛者の他人の牛を数うが如く沙門の資格なし。
不放逸は不死の道、放逸は死の道、
不放逸の人は死ぬことなく、放逸の人は死せるが如し
このことを明らかに知りて、賢き人は放逸ならず
不放逸を楽しみ、聖者の行を楽しむ。（『法句経』）

横着な者、放逸なる者は、死の道をいくのである。往生の道ではない。

智慧なき愚の人は放逸にふけり、賢き人は放逸ならざるを、最も勝れし宝と護る。
放逸の者の中になおざりならず、眠れる者の中にさめたる賢き人は
駿馬《しゅんめ》の駑馬《どば》におけるが如く、愚の人を捨て行く。

噫！　精進なる哉。精進する者は浄土に召される者であり、仏の道に出でたる者である。精進せぬ者は、放逸に暮らす者は、死の道をいく者であり、地獄に堕在する者であり、迷いの世界から永遠に出られない人である。
南無阿弥陀仏とは放逸から遠ざかり、横着から出ることのできた者にのみ許された名であり、宝であり、特権である。

眠りを好み、大食をなし、常にうとうととして床に暮らし
食に飽ける豚の如き愚なる人は幾度も迷いの生を重ぬ。
放逸の人には愛欲、蔓草《つるくさ》の如く繁り、果実を求むる猿の如く、生より生にさ迷う。
おお、食に飽ける豚。春の日を小屋の内に眠る。愚なる人間は食にあき、放逸の夢を見つつ豚のように眠る。化城を出でねばならない。腰かけから出でねばならない。彼岸からおまねきの声が聞こえないか。懈怠なる者が浄土にいくことは、河の水が、下から上に流れていくより

も困難である。

弊悪

仏典の中には「勇猛精進」という言葉があります。

「私のような者には」「私のようにつまらない者は」「私のような老人には」、何という悲しそうな声だろう。「奮い立つ心」、それはやがて救われる心である。弊悪卑怯に陥って泣き言をくりかえしている者は、それ自身光を認め、光を追い、光に摂取されていない証拠である。愚痴とは智慧のないことである。愚痴なる者は、奮い立つことはできない。

「この世に悲しみ、かの世に悲しみ悪を行う人は二世に悲しむ。己が行いの汚れしを見て悲しみ憂う」。卑怯の心、愚痴の涙、何時まで我が身を見て泣いている。「機《き》なげき秘事《ひじ》」とはこのことである。我が機の浅間しさがわかればわかるだけ精進せねばならないはずだ。それだのに、我が心を見ては泣いている。あさましいと泣き、力がないと泣き、暗に迷うて泣いていては、千年たっても光の天地に出ることはありません。悪い習慣に囚われて泣いているのが弊悪です。心が卑怯になって精進することのできないのが弊悪です。一度学校で落第した人が、気力を失って暗い心にいじけてしまうように、暗い所に頭をつっこんで泣いていたら、永劫の地獄がそこに待っている。出ましょう。出ましょう。今すぐ立ってこの暗い穴から出ないと永遠に救われません。

智慧がめぐまれて仏の光が心を照らせば弱った者も力づいてきます。弊悪卑怯のままでは、「たとえ生涯、賢き人に事《つか》うるも、愚の者は匙《さじ》の味を知らざるが如く、法を知ることなし」と仏は説いておられます。

奮い立たなければ精進はできない。精進しない者に道はない。光はない。必ず救われる。必ず道に出られる。

周利槃得《しゅりはんどく》は、その名前さえ記憶のできない男だけれど、ついには大弟子の一人となり覚を開くことができたではないか。弊悪はそれ自身、死であり、暗である。妄想である。迷いである。智慧の光に蹴ちらされ勇猛精進しなければなりません。

道の基調

自分の住む世界の暗くなる原因を己より外に求めるのが常識の考えである。

親が悪いから自分の心が暗い。子供が悪いから自分の世界が暗い。

夫が悪いから、自分の世界が暗い。兄弟が悪いから自分の世界が暗い。

妻が悪いから自分の世界が暗い。

全て自分の周囲の者が悪いから自分の住む世界が暗い。この考えは一応はもっともである。

しかし太陽が何時、自分の周囲が暗いと泣いたか。月の照る夜に暗かったか。自分に真実の信仰のない者の泣き言である。

自分の世界が暗いのは親のためではない。夫や妻や、子供や兄弟や、全て私の周囲をとりまく者が悪いからではない。自分自身の心が暗いから自分の世界が暗いのである。

心に智慧の眼の開かない者、信仰のない者がおれば、その周囲は必ず暗くなる。自分が愚痴であるが故に、高慢であるが故に、懈怠であるが故に、放逸であるが故に、自分自身の心が暗いのだから、人を見るにもその眼で見ます。かくてこの自分の住む世界の暗い原因を外にぬりつけようとしている間、その人には浄土への道は開かない。求道の大精神は生まれてこない。ただ終日、自分の周囲を見て、親が悪い、子が悪い、妻が悪い、夫が悪いと、呪いの気分を出ることはできない。涯なき呪いと憎悪と、瞋恚の心に捕えられて、益々暗い暗い世界にと自らをおとしていきます。

目覚めた者は私の周囲を見て呪いにおちているわけには行かない。それは果てしない迷いだからであります。私一人が私自身の問題になった時、初めてその心の内に、じっとしていられないことがわかってくる。私自身が私自身の問題になってきた時、どうしてじっとしていられよう。種々なる嫌な心が自分に見える。法の鏡をのぞいた時、自分自身の姿の上に種々なる嫌なものが見えて来る。どうしてじっとしていられようぞ。

教養を受けていない人間だけ、自分を厭う心が少なくて、周囲の人に求める注文が多い。不孝息子ほど親に厳しく多く求めて親を泣かす。なっていない妻ほど夫に多く求めて、自ら貞節を運ぶことを知らない。淫蕩な夫ほど妻を苦しめる。自分を善人と立て、賢いと立てて、自分自身の姿を知らない者だけ、哀れである。自分を改造しようとはしないで、周囲の人を改造しようとする。そうして果てしなき迷いにさ迷っていきます。高慢であり、邪見であり、横着であり、放逸である者の浄土に往生することのできないことに、今更ながら驚かざるを得ないのであります。

悪をゆるすなかれ

「このままのお救い」ということが、これを言葉だけつかむと大変おそろしいことであるように、第二の囚われは、「悪い心はやめられないものだ。やめなくてもよい、たすけてくださる」と今度は悪を自らゆるして、悪の上に腰をかけた心である。これほど恐ろしいことがどこにありましょうぞ。もちろん親鸞聖人は「悪性《あくしょう》さらにやめがたし、心は蛇蝎《じゃかつ》の如くなり」と告白しておられます。しかしそれは血をもって涙をしぼって、この心を厭い棄て、大懺悔あそばしていなさる告白であります。後からその道をたどらせてもらう者が、このお言葉だけをとってきて、自分のあさましい日暮らしの説明だとみたり、言い訳につかったりすれば、これほどおそろしいことはないのであります。

聖人は決して、悪い心でもよいと言って悪をゆるす思想の上に腰をかけて、休まれたのではないのであります。あさましい貪欲、瞋恚、愚痴の日暮らしが、どうしてそれでいいものか。そうした悪い悪いはからいをもって自分を偽ろうとしても、それはできないことである。まことに過去の聖人の体験を表された尊き言葉をもってきて、これを弄ぶほど危険なことはありません。

ましてて、善いことならまだしも、悪人正機の救済をはき違えて「悪い心はやめられないものだ。それをやめて来いではない」と、目覚めても救われてもいない間から、寺などで聞きおぼえた言葉をもって、初めから臀《しり》の下に敷いて腰をおろしているなどとは、これほど恐ろしいことがどこにあろう。それこそまことに地獄の釜の上に腰をおろしているも同様である。そうした人には、尊き法は永遠に与えられない。その人が法に導かれ、法に育てられ、法に生き、法に輝く時はあり得ないのであります。

悪い心をそれでよいとゆるすこともできず、悪い心をなくしきることもできない。そこに、一生を通じて光へ光へと走らねばおれない心もおこり、この悪い心の限りなくおこる我を全的に救いたもう法悦も生まれてくるのである。

浄土真宗の信者の大部分が聖人のお罰をこうむっている。

第一に「地獄行きの悪人であります」と言いすぎる。しかもそれはいい加減なことなのである。聖人が、「地獄は一定すみかぞかし」と自分の全体をなげ出すまでには二十年の血みどろの歩みがあった。一度や二度、寺にまいって「地獄一定の悪人だ」と言ったところで、それは断じて真の目覚めではない。言葉だけ、口だけ、道理だけ、そう言ったところで、高慢の姿が残っているではないか。ちっとも尊い懺悔の態度は見えないではないか。だから見よ。彼が天狗の鼻を動かし高慢の角を打ちふるっているあさましさをつきつけて、「その様子は何事ぞ！」と叱って見よ。すぐ、腹を立てて、「この悪いのが止みますものか。止まんからこそ、この悪いのをこのまま助けてくださるのです」と言って来るのだ。それがそのまま助かっていない恐ろしい姿であることに気がつかない。

地獄一定とは未来の地獄の火を恐れて言われた言葉ではない。いい加減に自分を卑しめてつけた名前でもない。久遠の生命なる如来にふれて、自分全体を広大なる光明の天地、大千世界に満ちわたる光明の天地に、体も心も肉も血も一切を投げ出して、赤裸々に自己を凝視《みつめ》た血の叫びであり、大懺悔であり、大歓喜である。救われた者の声である。大精進に奮い立った者の声である。悪に腰かけた者の泣き言ではないのであります。

卑下慢

ある地方に行くと、「私には善い心なんか、ちっともありません」と誰も彼も皆が言っている所がある。しかもそれをさも誇らしく自慢らしく言っている。高声で大笑いのうちに「私にはよい心なんかちっともない」といい得る人に、誠、お言葉通り「悪」が悪いと見えていようか。悪い奴、悪い奴ということが一つの型になって、悪い奴ということを、さも道に徹底せる者であるかのように言っているとは、何というあさましいはからいであろう。

悪を悪と目覚め、大蛇のような心、鬼のような心、氷のように冷たい心、高慢な心、種々な悪魔をうちに見出した者が、どうして悪い心しかありませんと笑っていられよう。出なければなりません。そうした型をつかんでそこで眠ることはあさましいことである。

そうした場合にはいわゆる、卑下慢ができる。卑下慢とは低いということが一番高いのである。低いと思って高いのである。低くなったからいいと思う心である。しかしそれは真に低いのではない。低そうに見せかけているのである。

「ふん、お前にはまだいい心があるかね。結構だね、おれたちは善い心なんかちっとも持っていない。それではまだお前の信仰は低いぞ」などと平気で言っている者がある。低いということが高いのである。

それらは皆とらわれた世界のお芝居の言葉いじりである。化城に極楽の夢を見て眠っているのと同一である。そうして感激に酔うて自分にお化粧しているよりももっと、悪質であり、高慢である。

既成宗教は人を助けもするし、人を殺しもする。もし既成宗教がもつ教義を型にして、それにはまって結果だけを得ることにあせる人のためには、宗教は人を殺す道具である。

久遠の迷いに如来の法剣が突きたてられた時、ある者は、「あっ！」と言った。ある者は「うーん！」と言った。ある人は「有難い！」と言った。ある人は「ああ親様よ」と言った。ある人は「何ともない。何ともないのが有難い」と言った。

同行たちがそれらをみな条件にして、私の心は「あっ！」と言いません。「うーん」と申しません。「有難い！」と言ってくれません、と殻を拾うてそれになろうとする。そこへ人真似の、いらないはからいが始まる。概念いじりが始まる。型にはまろうとする自力が始まる。もしはまった魂は死の世界におちるのである。

塩をなめずして、からいと言ってくれません、と言うのと同一である。からいという思いのために塩がからいのではない。

からいと言いたい。甘いと言いたい。有難いと言いたい。それらは仏を条件づけるのである。けれども信仰の天地では神も仏もおきてではない。条件ではない。条件にはまっても、おきてを守っても、それは決して、仏を体験したのではない。

信の世界にあっては仏は無条件である。我が煩悩の実機へ直接働くのである。如来と我との間に薄紙一枚はせることをゆるさない。如来をはなれて我の自覚なく、我の信心をおいて仏の姿は永遠にあらわれるべき所と時とがない。何らのはからいもゆるされない。

四　やすらぎ

私の心は限りなく安らぎを求める。
深山のような静けさと、その深山の中の湖のような安らぎを求める。
生命の充実と創造は恵まれた安らぎの中にのみある。
犯人が捕らえられる前に持つような心の動揺、
自信なくして試験場に出る時のような不安、
軍人が梁木を渡らされる時のような危険、
重罪人が死刑執行を言い渡された時のような絶望、
動揺・不安・危険・絶望、

そうした生活の中に真に生き生きとした生活のありえようはずがない。温かい寝床の夢のとぎれに春雨を聞くようなやわらかさ、柔和な肥満しきった牡牛が静々と歩むようなおちつき、静かなる村里の夕暮れに森の彼方に昇る満月のような静けさ、試験合格の通知を受け取った少年の胸に輝くような洋々たる希望、結婚前の処女の胸に奇しくも秘められたような桃色の憧憬、そのいずれの心持ちにものびゆく人間の相があり、恵まれた現実の静けさと、洋々たる未来がある。私は限りなく心の安らぎを求める。安らぎの中にのみ、ほんとうの私があり、真実の活動があり、力があり、喜びがある。

故郷

「天の原ふりさけ見れば春日なる三笠の山に出でし月かも」

この一首、遠く故国をはなれて中国の地に立った阿倍仲麻呂《あべのなかまろ》が、静けく安らかな故国奈良の地に憶いを馳せた懐吟である。故郷を憶う心は、なつかしく安らかな心である。故郷は常に安らかな静かなものとして印象づけられている。肉体の故郷、それは旅にいる者によっては懐しい所に違いない。しかし肉体の故郷は必ずしも霊の故郷ではない。心の常に通う故郷はいずこ。それは彼が一番愛され、あたたかくされる世界である。

たとえ自分の家庭であっても、冷たい人が充ちていたり、争いばかりつづけているならば、それは決して、真の意味の懐しい故郷ではない。心の通う温かい世界を持たない者は流転する。人は必ず、温かく愛してくれる人の上に心をすえる。心の通う温かい世界を持たない人は不幸である。温かい家庭を持たない者も不幸である。温かい親も、温かい夫も、温かい妻も持たない者は不幸である。

彼が温かい世界を与えられた時、その世界は彼の安らかなる霊の故郷となる。あなたの心はいずこに通うのでしょうか。

聖郷

大地の上には春は訪れた。自然の恵みを素直に受けて、万物は彼自身の相のままに輝いて生きる。濁りなき色彩の衣をつけ、希望の太鼓の調べも軽し、目は歓喜の涙にうるみつつ、調和と荘厳と壮麗の行進を進めていく。人の子が争いあい、戦いあい、背きつつ、罵りつつ、暗い世界に泣いていようとも、春の行進曲に変わりはない。深山の谷間、川の土手、大自然の胸に花が咲いたら蝶をひきつけ、火鉢があったら人をひきつける。大自然の美も我らに安らぎを与える。花が咲いたら蝶をひきつけ、火鉢があったら人をひきつける。一人格の上に花が咲き、火がつけられると嫌でも応でも人が集まる。温かい信仰に生きた人格は、人生に苦悩する多くの人の霊の安住所であり得る。しかし人は人であって神でもなく仏でもない。人間の持つ理論愛には、制約があり限りがある。

心の故郷に帰りゆけ、
久遠の聖郷を浄土という。この久遠の聖座に永遠の故郷がある。

「心を弘誓の仏地に樹て　念を難思の法海に流す」

（島地一二―二二四）

「超世の悲願ききしより　われらは生死の凡夫かは
有漏《うろ》の穢身《えしん》はかわらねど　こころは浄土にあそぶなり」

（島地一一―四三）

真の安らぎは平等絶対の恵みの中にまかせきって生きていく合掌の世界にある。

動乱の中

真の安らぎを求める人の世界に嫌な不安や争闘や罵りや陥りがはてしもなくつづく。我らは嫌でもその中に住まねばならない。

安らぎを求めるからとて、何時までも安らぎの中に平安な眠りを貪ってはいられない。それは卑怯である。むしろそうした苦悩に満ちた人生の波乱のただ中に立って安らぎを生かさねばならない。安らぎは単なる安らぎではない。動乱の中の安らぎである。真の安らぎに生きた心でこの動乱を受け取っていく。動乱や変化のない単なる安らぎは、意義なき平安である。

禍いや悩みや不安を亡ぼすのではなくて、静かにこれを動かぬ心に受けていくのである。安らぎの尊いのはそこにある。

動かぬ世界に心を樹て、それを背景に限りなき生死の無明の世界に生きていく。具体的な人生はそこにあるのだ。

五　内より湧く泉

念仏しつつ思索に

外には雨がしょぼしょぼ降っています。火の気の少しもないこの部屋で暁烏《あけがらす》敏《はや》さんの『運命論者の群』を読み、宮崎安右衛門さんの『聖貧への思慕』を一気に読んで、煮えたぎる私の胸を抱いてジッとして念仏していました。まだ原稿がちっとも書けていない。原稿締切りは過ぎた。

私はペンをとります。そうして書きたいこの心に私の体をまかせます。またしても念仏します。

南無阿弥陀仏　南無阿弥陀仏　南無阿弥陀仏……

湯から湯気が立つように、私の魂は知らずしらず念仏します。意味あっての念仏でもない。ありがたいからでもない。救ってもらいたいのでもない。ただ自然に念仏します。そして思索にふけります。

「私は広島でございます」「私は打越であります」「私は安芸郡であります」、聞法求道の人たちが苦しい胸を抱いて訪ねてこられる。静かに夜がふけていくことがある。私はちっとも私が教えたり導いたり、私が善知識になって解決を与えようとするような我慢な心はもたない。私は、参考までに私の話を聞いてもらう。と言っても苦しむ人を見ると無限に同情する。自覚も何もない人を見るとたまらなく気の毒な気もする。けれどもどうして私に教える力があろう。私はただ湧いて出るままにお話をする。

私は支部のある地方や、なつかしい人たちの多い所に行った時、二時三時と夜をふかしてもさらに去ろうともしない熱心な人たちのことをなつかしく思う。そうして久遠の迷いから目覚めて「お救い」を自覚してくださった時、いつもみ仏のお慈悲の大きなことに感激する。

『阿弥陀経』には「一切世間のために、この難信の法を説く。これを甚難とす」とある。『無量寿経』巻下には「もし斯の経を聞きて信楽受持することは、難中の難にしてこの難に過ぎたるは無し」とある。聖人は「正信偈」に「弥陀仏の本願念仏は、邪見・憍慢の悪衆生、信楽受持すること甚だ以て難し、難の中の難斯に過ぎたるは無し」とお戒めになりました。

救われたという自覚に入ることは、我慢我執の強い私たちにはまことに困難なことでありま す。だんだんと育てられて、少しずつ我執がとれてきますと、大きな力にはからわれているこ とが知らされてきます。私は新しくほんとうに目覚めてくださる方に当面した時、思わず合掌し、涙さえ催すことがあります。

信心をいただこう、何かもっともらいたいと、誰でもあせってこられます。けれども、もらう物もなければ受け取るものもない。何ももらわなくてもよかったとの大安心に至るにはなかなか骨が折れます。

我の打ち砕かれた者

「堕ちるのでございました。水の中へでも氷の中へでもどこへでも、一切の罪の報いを誰にも負っていただけない以上、私が全部、素直にこの大責任を負って地獄へでも、餓鬼道へでもおちていくのでございました」

魂の夜明けは近づく。久遠の本性がはっきりと照らし出されました。それはちょうど、黎明が近づいて、東天緑に晴れてシラジラと光は地上になげられて、朝霧の内に地上の万物が見えてきたように、光が魂の内に輝きそめた時、そこに、醜い久遠の自性は現われてきます。「堕ちる！　だから救ってもらいたい」。この自力のはからいに応じてくれるものは、ただ、人を迷わす邪神たちや、仏のすがたを表した悪魔でありました。

「頼んで出て助ける神もなければ、仏もない！」。魂は行きづまりました。「私は長い間寺参りをして、涙を流して喜んだこともありました。でもそれはじょうずな芝居を見た時のように、哀れな話を聞いた後のように、間もない内に消えてしまいました。悪い心のおこった時、それがお慈悲のお目あてだと、われとわが機をおさえて見ました。けれどもそれも私の自力でした。聞いてもだめ、知ったのもだめ、ありがたいのはなおさらだめ、何もかもだめとわかって、私はいったいどうなるか」。行きづまった魂はなお続けます。

「かかるやつめをこのままで、と思っても、自力ときかされては、しょせん私を助ける仏もなくなりました。無理を考えていました。鉄なら必ず沈むのです。水なら必ず流れるのです。罪の大荷物を負う者がない、全部私が今日まで負うて来たのだ、今からも誰も負うてくれ手がない。皆自身が負いきるのだと聞かされて、まことにまことにそうでした。私は謹んで火でも水でも刃でもその報いを受けます。謹んで受けます」

光に照らされる自性

救いにすがろうとした魂は、哀れな祈禱の称名を称えていました。彼の魂はそれをやめました。そうして今、彼は彼の罪を負うて永劫の火におちて行こうと観念の眼をとじました。彼の眼には涙がにじんでいます。説教師たちは、長い間、哀れな聞法者の群を感傷的に酔わせてきました。そうして感情一点張りで法蔵菩薩の御苦労に泣かせて来ました。信徒たちの智慧の芽はのびる邪魔をされて、ただありがた屋の亡者になってきました。死に近よる老人たちの気慰めであり、人生を逃避する弱者のあきらめの道具のようになってきました。

多年寺院で聞法した人がたずねて来て申されます。「聞いている間は有難いと思いました。涙さえ流れます。けれどもその有難さが消えた時には、その底から言うに言われない力がむくむくと頭をあげてきます。これではたまらないとまた聞きに参ります。そして幾度も幾度も同じことをくりかえしてきました。もうとても私には信仰は得られないのでしょうか。思えば憶えばやっかいなものを多年もらったものであります」と申し合わせたように言われます。

聞法者の誰も気付かないことでありますが、誰でも初めは何かほしいとかかります。何かないと気がすまないのです。それで信心を得ようとして求めにかかります。けれども信心というようなものがいっこうに得られないで、まず見えてくるものは、得たいものの反対ばかりであります。


わかろうとかかれば、わからん。安心しようとかかれば、安心がならん。

ありがとうなりたいとかかれば、いっこうにありがとうない。

ありがたいのを続けようとすれば、続かない。落ち着こうとすれば、落ち着けない。


いつも反対ばかり見えてきます。一口に言えば疑いと言いましょうか、暗《やみ》と言いましょうか、そうした苦しさが聞けば聞くだけはっきりと出てきます。誰もこれに困られます。けれども説教を聞きに参れば、この心の奥の塊が静まって美しいありがたい虹のような袋に入れられてしまいます。でもそれは、信仰でも金剛の一心でもなくて、ただ一時的な感激でありますお気の毒な御苦労な方になると、この揮発性のよろこびが消えかけた時には何だかさびしいので説教を聞きに参ります。そうして一時的な気安めとは知らずに、またこのありがたいあるものを入れてもらいにいきます。自性は胸の底におしこめられています。こうしたことを一生くり返して信心者になった気持ちの方があります。これでは救われたのでも何でもありません。そんな方に限って自分の信仰をこわされまいとあせったり、他人が何とか言うとむきになって自分にたてこもって議論します。

ありがたいのは信仰に伴うもので、言わば粕であります。ありがたいだけをもって信仰の証拠にしたり、ありがたい心を続けようとするがごときは、心の内の空虚であることを物語っているのであります。話が横道にそれましたが、誰でも自分の自性を知らぬほどつまらぬことはありません。鉄が自分で金だと思っていたり、弱者が弱者だと知らなかったりするほどばからしいつまらないことはありません。自分の自性を知るということは、これほど賢いことはない。だからギリシャの金言には「汝自身を知れ」とあったそうです。自分の自性が何であるかを知ることは急務の中の急務であります。

自分自身の何ものであるかも知らずに騒いだところで、それは何にもなりません。一文なしの私どもが、十万円の家を建てたいとあせったところが、それは一個の空想であります。小学校にろくに行かなかった四十男が大臣になると力んでも、それは誇大妄想狂だと世間の物笑いの種になります。病人は病人と知り、貧乏人は貧乏人と知り、馬鹿は馬鹿と知れたら、大した間違いはおこりません。自分を知るということほど大切なことはありません。

世間の人たちは、自分という者を徹底的に一度も御存知になったことはないので、自分をたなにあげておいて他人のことばかり気にしています。自分の顔に墨のついていることには気がつかないで、人の顔の墨にのみ気がつきます。

ありがたい心でも始終続くものではないのです。人間の感情は一時に激してきても、時がたてば静まってきます。親の臨終に流した涙でも十日も二十日も続くものではない。芝居を見て同情して泣いても家に帰ったら消えています。何でも感情は長続きするものではないのです。それだのに、聞法の時の感激を永続させたいなどと考えることは徒労であります。

一時的な感激でなくて、腹の底から湧き出でる円融自在なよろこびと、生きぬいて行く力を与えられることが信仰であります。

何かを得ようとして得られずに、見たくない、知りたくない自性が見えてくることに誰でも当惑するのでありますが、ここが宗教とか信仰とかのありがたいところであります。

我であってしかも我ならざる光が心の内に輝いて来ますと、私どもは自性を見せつけられます。それが私どもの全財産であります。わかろうとしてわからんとか、安心しようとして安心ができぬとか、法悦を続けようとして続かないとか、それが自性で、本当の自分が知れてきたのです。瞋恚《しんに》の心や、欲心や愚痴を言うことは、人から習ってこなくても、もらってこなくても、自分に持ちあわせがあって無尽蔵に出てきます。これらが私の財産の全部であります。

それらの全部がはっきりと知れてきたことは、魂の黎明が近づいたことであります。私の経験によると、得ようとして得られず、知ろうとして知られず、全くだめな自分が見えてくる、全否定に立つことがないと、信の芽は開いてきません。自覚と言いますが、自覚の第一歩は、自分にほんとうに徹することであります。部分的に、親に対して不孝者と徹底するとか、夫に対して真実でなかったと徹底するとか、学生として自覚するとか、女子として目覚めるとか、そんな自覚でなくて、われをあげて全人格的に目覚めることであります。

それが信念の生まれる根本であり、浄土の開けてくる第一歩であります。

救う者

平素不正直ばかり言う商人が、神棚の前で柏手《かしわで》を打って、金儲けを神様に願う心持ちは、不正直から来る罪の全責任を神様に負わす考えなのであります。お稲荷さんとか、お大師さんとか、種々なものをかつぎこんで拝んでいる人たちは、自分の責任を人になすりつけようとするずるい人たちであります。

けれども雑行雑修をゆるさない真宗にさえ、罪を全部仏様が負うて下さるように思っている人が大方全部であります。とんだ考え違いで、それでは横着者が勝つことになります。罪の重荷は物的な物でない以上、私からはなすことはできません。随って誰も負うてくれる者はない。では一体救われるとはどう救われるのだという大疑問がおきてきます。

宗教とか信仰とかいうものが救われることである以上、（一）救うべき者と、（二）救われるべきもの、とがなくてはならない。（三）救われるとはどうなることか。この三個の問題が当然おこってきます。

救うべき者

救うとは誰が何を救うのか。

「親鸞におきては『ただ念仏して弥陀にたすけられまいらすべし』とよきひとの仰せを被《こうぶ》りて信ずるほかに別の子細《しさい》なきなり」（島地二三―一、西八三二、東六二七）

弥陀に助けられる。親鸞聖人は、はっきりと「弥陀に助けられる」と言いきっておられます。

それでは弥陀とは一体何か、どこにおられるか。仏教全体、殊に大乗仏教では「衆生悉く仏性あり」と申します。十方衆生という以上、白色人種だろうが、黒人であろうが、悉く仏性があるわけであります。仏性とは仏たる性質であります。仏の本性であります。真如の妙理であります。普通真宗では、全く我をはなれた仏をときます。けれどもこれは全く知ることのできない、純粋主観の仏なるが故に、又全く純粋客観の仏ととるのであります。けれども通仏教上、大切で、ことに聖人があれほど重要視して『教行信証』の内にお引きになった『涅槃経』を読む者が「一切衆生　悉有《しつう》仏性《ぶっしょう》　常住無《じょうじゅうむ》有《う》変易《へんえき》（一切衆生悉く仏性有り　常住にして変易有ること無し）」（『涅槃経』二七）を認めないわけにはいきません。

すると貪瞋《とんじん》煩悩に狂わされてある罪悪深重の凡夫の魂の根底にも、この仏教はその妙理を発揮しているのであります。

性《しょう》とは「不改の義なり」とあります。因果に通じて自体の改まらざるを性というのであります。いかなる力を加えても、どんな因縁に出あっても、決して改まらないのが性であります。如何に罪悪に汚れても、煩悩に狂わされても、永久に変わらないのが仏性であります。

私が十方衆生の一人である以上、微かながらもこの仏性を本具していることは間違いないのであります。華厳の説によると、三仏性ということを申します。

一、自性住仏性《じしょうじゅうぶっしょう》

自性住仏性とは、真理の妙理が自性常住であって、いかなる時にも変改のないことであります。いかなる迷い深い私どもの魂の奥底にも、耿々《こうこう》たる常住の燈はかかげられてあることであります。

二、引出《いんしゅつ》仏性《ぶっしょう》

引出仏性とは、本具の仏性が智慧禅定などによって、その面目を発揮してくることであって、真宗で言うならば、念仏三昧の風光になることだと思います。仏性が煩悩の全面に輝き渡り、仏性の本来の活躍を現わしはじめることであります。

三、至徳果《しとくか》仏性《ぶっしょう》

至徳果仏性とは、引発される仏性が、本具の風光を遺憾なく了々顕現して、修因満足して、仏果に至ることであります。即ち成仏と見ていいでしょう。この仏性と弥陀とはどんな関係があるのでしょうか。

私どもが、如何に内省しても、いかに努力しても、この内なる仏性を認めることも握ることもできないのであります。そこに照らし出される者は、ただ久遠の自性であります。貪瞋煩悩のあさましい姿であります。仏性は、この内省の上に立って見出される自分の内に全く我ならざる我となって融合されてあります。

親鸞様が「弥陀にたすけられる」と言われた弥陀とは何か、それは『大無量寿経』に説かれてある法蔵菩薩の願行円満成就せる弥陀如来であります。上巻には救済の本尊たる仏の、仏となられた原因と結果とが説いてあり、下巻には救済の原因と結果が説かれてあります。

通俗的な従来の説教では、我を全くはなれて実在する十万億土西方の弥陀如来に救ってもらうように説きました。けれども十万億土と限定された極楽であるならば、絶対無限の仏ではない。極楽ではない。いったい仏とは全く魂の世界であります。物を以て作られたものは滅びる時があり、限度があります。

祖聖は、真仏土巻に、「謹んで真仏土を按ずれば、『仏』は則ち是れ不可思議光如来なり『土』は亦是れ無量光明土なり」（島地一二─一二六、西三三七、東三〇〇）と言っておられます。絶対の光であります。四十八願に酬報して成就されたる南無阿弥陀仏は、全く尽十方無碍光如来であります。際限なき光であります。そしてその光は、一時的のものでなくて、永劫に流れて消えぬ常住無量寿の光であります。即ち仏は時間と空間にわたって無限絶対者であります。今や法蔵菩薩は、この無限絶対、無量寿の光となって、煩悩衆生界に肉迫し来たって、全く我ならざる我となって我を生かしておるのであります。

『安心決定鈔』には、

「念仏三昧というは『報仏《ほうぶつ》弥陀の大悲の願行は固《もと》より迷《まよい》の衆生の心想《しんそう》の中に入りたまえり、知らずして仏体より機法一体の南無阿弥陀仏の正覚に成じたもうことなり』と信知するな

り　願行みな仏体より成ずる事なるが故に拝む手・称うる口・信ずる心みな他力なりというなり。

故に機法一体の念仏三昧を顕わして第八の観には『諸仏如来・是《ぜ》法界身《ほっかいしん》・入一切衆生《にゅういっさいしゅじょう》心想中《しんそうちゅう》』と説く　是れを釈するに『法界というは所化《しょけ》の境《きょう》　即ち衆生なり』といえり　定《じょう》善《ぜん》の衆生ともいわず、道心の衆生とも説かず、法界の衆生を所化とす　『法界というは所化の境・衆生界なり』と釈する是れなり　正しくは『心至るが故に身も至る』といえり　弥陀の身心の功徳、法界衆生の身の内・心の底に入りみつ故に『入一切衆生心想中』と説くなり　ここを信ずるを念仏衆生というなり」　（島地二八―七、西一三九三、東九五〇）

衆生の魂の奥深く、そこに如来の大願成就を知るのであります。弥陀の身心の功徳は、法界衆生の身のうち、心のうちにいりみちて、絶対のはからいを続けているのであります。それを「一切衆生の心想中に入る」と言うのであります。これによって、私は私の如来を信知します。「衆生悉く仏性あり」。ここに私の仏性を見出すのであります。その五劫永劫の修行は、私の胸の内の内に刻々作り出す大焦熱《だいしょうねつ》地獄の火中に立っての行であったと知らされてきます。全くの他力であります。そうして、この如来は十方法界に充ち充ちたまえる尽十方無碍光如来であります。全く他力の中の他力のはからいによって、生かされ育てられてきたのであります。救うべき者、それはかくの如く、私の内にあって我と知らざる我となって、我をつき動かし、我を働かせ、我を導き、我を仏まで向上させようとした我の根本実在、我になくてはならないものを与え、我を育て、我を天と地との間に生かす宇宙の根本実在、それが私を救う仏であったのであります。自然法爾《じねんほうに》と申します。この自然の妙用《みょうゆう》が我の内に極楽世界を開いてくれる力でありました。

救われるべき者

普通私どもが我《が》と言っているものは、内省すればするほど罪に汚れている我であります。日々の生活にやつれて、物質と名利と愛欲に乱れている私であります。すなわち凡夫であります。

悪人と申しても、道徳的善悪や、法律上の悪人というような、対他的なものではなくて、全く自分の内に見出されるつきつめた自分であります。

道徳的には少しの善事もあるでしょう。法律の網にはかからなかったかも知れません。けれども、もっともっとつきつめて、自分の全体を見つめた時、如来の手もとに出して恥ずかしくないほどの善は一つもありません。全く、曾無《ぞうむ》一善（曾《かつ》て一善無し）、唯知作悪《ゆいちさあく》（ただ悪を作るを知る）の自分が見えてきます。罪という罪、悪という悪、それを念々に作り出して、やむことのない自分を見ます。これこそすなわち、無限の欲を追うて満足しようとする自分で、苦をのがれようとして苦にせめられ、無明の惑をもって悪業をつくり、悪業によってさらに一層の苦を生んで、底のない苦悩に沈みはてようとする、根本を無に根ざした、業の繋縛から出ることのできない自分であります。すでに我が内にこれを見る。ここにどうしても救われねばならない私が現存します。

いったい私どもは自分が悪いとはどうしても思われず、社会が悪い、国家の政治が悪い、家内が悪い、友が悪い、近所が悪い、と平気で申しますが、一度自分の本当が知れたものは、自分以外に悪人を認めません。

清沢満之先生は、真の朋友について書かれた中に、こんなことを言っておられます。「真の朋友は互いに相求むる必要がない。ただ自ら真の朋友たる資格を持てばよい」（『清沢満之全集』第六巻、法藏館、一九九頁）。私たちは自分に真の朋友たる資格のないことは言わず、真の妻たる、夫たる、親たる、子たる資格のないことは言わずに、すぐ朋友をせめ、妻を裁き、夫に求め、子を孝行一点張りでおしつけようとします。

「全体、求めるということは、自分において不充分なところがあるから、その欠陥を補うがために、求めるということが必要であるのである」。自分の全部をつくして不完全がないなら、他に求める必要はないのです。親の不完全を子供に求めようとしたり、夫の夫たる資格のないことには気づかずに、妻に求めたりするのは、自分を知らない愚の極みであります。「朋友の資格を求めるのは、自己について求むるのである。自己の精神において真の朋友たる資格を獲得することに努めるのである」（前掲、二〇〇頁）。自己の内に求めるかわりに、おしなべて外にばかり求める者への大痛棒《だいつうぼう》であります。

先生はさらに、「世間には朋友を選んで交われと言うようなことがあるが、真の朋友は互いに相選ぶ必要はない。また自分が真の朋友の資格さえあれば、いかなる人と交際してもさしつかえない。畢竟、朋友を選ぶという根拠は、朋友というものに善友と悪友との区別を立てて、善友には交際してよいが悪友には交際してはならないと言うのであって、つまり自分に対する利害を主として言ったものである」（前掲、二〇〇頁）と言われています。

世間普通、いっさい万事が皆そうである。妻は悪いが自分はよい。子供は不孝するが自分はこれだけの親切で育てた。自家はよいが隣が悪い。労働者は資本家が悪い。資本家は労働者が悪い。誰もかれも、悪い悪いを相手につけて、一度も自分には気がつかない。この我をうちくだいて行かない以上、自分の真実、すなわち救わるべき機の真実が見えない。この反省の上に立って「自分総ぐるみにだめだ！」と行き詰まらない以上、とこしえに永遠への大道は開かない。

救われるとはどうなることか

一時の感激の上に、虹のように現われていた仏もあやしくなり、ありがたいと思った心にも見切りをつけ、落ちまいともがくその手もおちていく自分を見て、罪の重荷を負うて行こうとする者は、天にも、地にも、存在するものはこの罪と悩みをかかえて死に行く自分のみである。親鸞様の「いずれの行もおよびがたき身なればとても地獄は一定《いちじょう》すみかぞかし」との悲痛な告白は、救いを予想してのそれでもない。隙や暇のある言葉でもない。

絶体絶命、久遠の迷える魂が無始の過去から今日までの内、たった一度ふき出した、ほとばしり出た、ほんとうの魂の未曾有の声である。この行き詰まりにおいて我《が》は根本から砕かれる。我が砕かれた刹那、この貪瞋煩悩の内よりふき出す力がある。

落ちる者は落ちるがいい。罪の報いを受ける者は受けるがよい。

疑いのある者は疑いぬくがよい。誰に責任をなすりつけてもならない。

全責任を自分で負うのだ。十字架だ。

苦から逃れていこう、責任から遠ざかっていこうとすればするほど、苦は後より重い荷物となってついてくる。無形の荷物はおかしいものだ。負うまいとする者には重く、負うて立つ者には何でもない。全く重みがない。

地獄は苦よりのがれて楽を追おうとするもがきから生まれる。

「俺が」「俺が」と我の世界に迷いが生まれる。

みんな人は自分のすべてに対する罪を全部担って立つがいい。

そこにきっと、ある偉大なる力を感ずるであろう。

救われた自分を見出すであろう。念仏は腹の底よりほとばしり出る。

救われる話を聞いていて、ただ口先や、頭の中で「私は地獄行き、それがそのまま如来様の御慈悲で救われるそうだ」と知っていて、救われると思っていても、それは虫のいい話だ。ほんとうの名体不二《みょうたいふに》の自然《じねん》の念仏が生まれてこない以上、久遠の本性をありがたい袋に入れていても、それでは救われたのではない。救いに賛成したのだ。救われるとは信の世界が私の内に生まれてくることだ。念仏の腹ができることだ。仏性が円融自在な働きを煩悩中にはじめることだ。


宇宙に遍満したもうみ仏は、み仏独り立ちて生きたもう。み仏はまことに絶対の独立者にてましますす。そうしてみ仏は慈悲と智慧とによって、独り立ちのできる独立者を作りたもう。

瓜《うり》の種を一粒地に蒔けば、彼は全く自分の力で芽をきって、葉を出して蔓《つる》をのばして生きて行く。彼の内にはのびる、生きる、青々と茂る力がある。彼は全くの独立者である。力をもっている。つきのびる力によって彼はのびて行く。力はただ一つである。そこに二つの力はない。ただのびて行く力は一つである。

重ねて言う、二つの力が働いてはいない。

この例え話について深い省察をしてほしい。かの瓜が、自力で生きて行かれるその力はどうして得たか。かりに瓜のたねを畳の上において見る。千年たてども芽は出ない。地に蒔かれた時、彼は天と地との恵みを一身に受けた、その天地に満ちる恩恵が彼を育てているのではないか。太陽を天よりのけよ。大地から土の香を去れ。水を去れ。空気を取り去れ。そうしてもまだ彼の瓜は独立者たる力の所有者であろうか。

かの瓜の中に、天地に満ちる力と、彼が太る力と、二つの力を見ることはできない。そこにはただ太る一つの力しか見いだされない。たった一つの、のび上がる力は、全く彼の自力である。厳然として天地間にあるものは、太りつつある瓜、それだけである。けれどもその一つの力の中に絶対自力はそのままに、絶対他力を見るのではないか。

私は念仏しています。救われています。そうして生きています。永劫の彼方に生きていきます。この天地間たった一人を生きていく私は、全くの自力で、独立者で、火の中へも苦悩の中へも立ちきる力を生活している。けれども、そこにまた、たった一人のみ仏が生ききっています。たった一人のみ仏が生ききっていることがそのまま、私がたった一人生きていることでありますす。

内からの力

力は一つであります。力一つが現われるためには、そこに太る機と、太らす法とがあります。力のあらわれは一つであります。この極致にふれた者は、信の世界に誕生したのであります。往生したのであります。不退の菩薩になったのです。何の願いもない念仏が生まれてきます。

浄土他力門では長い間、仏と凡夫《ぼんぶ》と二つに対立した、死んでから往生する、あぶないきわどい臨終正念の信仰をつづけてきました。あてにならない、未来で救われる信仰にとどまっていました。それを親鸞様が七高僧の信仰を通して、死んでのち救われるような、変なあてにならないことでなしに、信じた時に救われる、即得往生の信仰に生きさせられました。

自力で念仏する。そしてその功徳で往生するというような、自力半分他力半分の信仰もありました。否、今の時代でもそんな臭味のある信仰がたくさんあります。お救いということを、地獄行きを捕えて無理やりに極楽につれて行ってくださるという風に思っている人がほとんど皆であります。もっとも、四十八願の中、第二十願では不果遂者《ふかすいしゃ》の願が説かれてありますから、方便としては自力の者も如来の大威力で先天的に我慢のとれない者でも助けると言ってはありますが、それは化身土の往生であります。お救いは、ほんとうのお救いは、そんなものではないのです。竹に木をつぐということがありますが、迷いのままが、このままで救われるのだと言っていたところが、味も酸《す》っぱいもありません。ありがたがっておれば一時の気安めになりますが、生きた力とはなりません。

富士山の中程の石が、愚痴を言っていました。「わしが」「俺が」と我ばかり言って外の石を見て喧嘩しています。彼は、そんな石が集まって富士山ができていることを知らないのです。汽車に乗って通る人から見れば、そこには富士山一つが美しく雲にそびえているだけでありま す。

富士山は別に石をみとめません。ただ富士山自身であるばかりです。石が不平を言ったり、愚痴をこぼしたり「わしが」をくり返すのは、富士山とは自分の体つづきであることを知らないからです。けれどもいつか、富士山は石が迷っているのを見て知らせました。石はハッと知った時には、その石がいかに粗末であろうが、形がよかろうが、そのままで富士山を荘厳しているのであることに目覚めました。そして彼には迷いがなくなりました。しかし外形はどこまでも前通りの石でありました。石を一つ一つ取りのけたら富士山はなかったのでありました。「わしが」「わしが」と我《が》がとれないから、そこに迷いがあるのでありました。我がとれて見れば「そのまま」で、極楽世界を荘厳している不退の菩薩であることに感激するのであります。

そうして何もいらない、このままでよかったと、得ないままに大安心《だいあんじん》になれます。内からは泉のように言い知れぬよろこび、力がふき出ます。

第五章　回向のみ名

法蔵の大願業力は罪悪生死の凡夫の心中に
全的に回向せられて念仏となったのであった
念仏は如来の今日今時　現実の我を呼び　我を救い
我を摂取したまいし大獅子吼であり
勅命であり　親心の名告りである

一　平生業成《へいぜいごうじょう》

「臨終の時までは一向妄念の凡夫《ぼんぶ》」

敵の弾丸は雨霰《あめあられ》と飛んで来ます。その中を兵士たちは無我夢中に突き進んでいきます。一人弾丸にやられて斃《たお》れます。又一人又一人、屍の山、血の河、草は紅に染み、あたりは阿鼻叫喚の修羅場と変わってしまいます。重なりあった負傷兵たちは、手を切られ足をもがれ、見るも哀れな中から、人間の声とも思えぬ声をしぼりあげて、うめいています。「殺してくれ、殺してくれ」。あまりの苦しさに恐怖すら通り越して、今受けつつある苦悩の激しすぎるために、「殺してくれ、殺してくれ」と求めています。これは日露戦争に行って負傷したある宗教家のお話であります。今さらながら源信和尚の「妄念はもとより凡夫の地体《ぢたい》なり。妄念のほかに別に心はなきなり。臨終の時までは一向妄念の凡夫にてあるべきぞと……」のお言葉の真実であることが思い出されます。

私どもは正しいようでも、美しい情をもったようでも、まさかという時にはすぐ生まれたままの妄念につつまれてしまって、とり乱してしまうのであります。地体は、美しく装われた時だけ隠れています。せっぱつまった時、まさかという時には、化粧されたものや、ことさら作られたものは、皆無くなって、地体だけが出てきます。私の机の上に置いてあるこの美しいお人形も、化粧した美しさであります。水に濡れたり、壊れたりすれば、地体は土であります。「妄念はもとより凡夫の地体なり」のお言葉が、私というもののほんとうをいい表されてあります。「妄念はもとより凡夫の地体なり」との御言葉は、決してそれがでたらめな生活をした方の口から出たのではなくて、一生を尊い聖者としてすごされた源信和尚の告白であります。臨終まで、この地体のままであるのが凡夫の痛ましいほんとうの姿であります。

死の縁無量なり

「一切衆生のありさま過去の業因《ごういん》まちまちなり、また死の縁無量《えんむりょう》なり　病におかされて死する者あり、剣にあたりて死する者あり、水に溺れて死する者あり、火に焼けて死する者あり、乃至《ないし》寝死《しんし》する者あり、酒狂《しゅきょう》して死するたぐいあり　これみな先世《せんぜ》の業因なり、更にのがるべきにあらず　かくの如きの死期《しご》に至りて一旦の妄心《もうじん》を発《おこ》さんほかいかでか凡夫のならひ名号称念《みょうごうしょうねん》の正念《しょうねん》もおこり往生浄土の願心もあらんや」

（島地二四―四、西八六五、東六四七）

以上は『執持鈔』のお言葉であります。

「一切衆生のありさま過去の業因まちまちなり」。私たちは過去世の業因を知りません。私のまいた業因から私の日暮らしが出てきます。

「また死の縁無量なり」。死の縁とは私の死をひきおこす縁であります。死の縁は数限りがありません。大概の人は病気で死にます。車にひかれた人もあれば、自動車がおちて死んだ人もあれば、火薬の爆発で死んだ人もあり、船が沈んだり、木が倒れかかったり、山崩れの下敷きになったり、人は様々の死の縁があります。いつ、誰が、いかなる死の縁に見舞われて死ななければならないかわかりません。

しかも「これみな先世の業因なり、更にのがるべきにあらず」とは何という痛ましいことでありましょう。こうした死期にいたった時は、その場一旦の妄心をおこすより外、凡夫のならいですから、念仏しようというような正しい念《おも》いがおきたり、往生浄土の願心がおこりましょう。ただ出るものは、どうにもならぬ妄念のこころのみであります。

健康の時に

「先生、すぐ来てください。妻の病気が大変悪いのです。御法の話を聞きたいというのです。すぐおいでください」

病気がだんだん悪くなる。病人にもうこの度は助かるまいという自覚ができてきます。急に死ぬ事が怖ろしくなります。誰かを呼んで来てくださいと言いたくなる。こうした火急の場合に度々よばれます。行って見ると病人は七転八倒の苦しみをしています。臨終断末魔だから み仏の御救いがわからないということはありません。親鸞聖人も御本典の中にも「尋常に非ず。臨終に非ず」と申しておられます。平生《へいぜい》でなくてはいけないとか、臨終では駄目だとかいうのは、それは如来の御本願を人間の型にはめてしまうことになりますから嫌うべきことでありますけれども、信仰問題を実際上からながめました時、一寸頭痛がしてすら、人が語ってくれることが嫌になります。ましてや死期の断末魔が近づいてきて、今や、地、水、火、風の四大がその和合を失って霊と肉とが分かれてしまおうという人生最大の苦しみが近よってきた時、どうして真剣な問題に耳をかす余裕がありましょう。

楽々と信仰の解決をする人もありますけれど、体が健康の時でも随分と骨を折って聞いてさえ、解決がつかないで苦しむ人が多いのです。それが苦しい病苦の中で、どうして真に徹底させて頂くことができましょう。ましてや信仰問題は、曇った空を見て雨がもし降ったら悪いから、傘の用意をせよというような功利主義のものではなくて、今から未来永遠にわたる大不安を解決させて頂き、迷うべき衆生が今日今から浄土真宗のみ国へと歩ませて頂く、今日の上に生きてはたらく事実が信仰であります。ですからまだまだ生きる元気なものには信仰などはいらないと、放っておくべき問題ではなくて、明日死ぬか、十年さきで死ぬかということに関係なく、大解決をさせてもらって、今日から大安心、大向上の生活に入らせてもらうべきであります。

平生業成

親鸞聖人が御出世になるまでにも念仏生活をなさった方は沢山ありました。けれども、皆臨終正念の信仰か、あるいはその臭味がありました。臨終正念というのは臨終まで正しい心で念仏せねばならないという考えであります。臨終の夕べまで念仏を称えておれば、臨終の枕辺に阿弥陀如来は観音勢至等の数多《あまた》の菩薩と共に、お迎えに来てくださって、浄土へ生まれさせて頂くというのであります。だからこの臨終正念の往生のことをまた、来迎往生といいます。迎えに来てくださるから来迎というのであります。名高い源信和尚すら「念仏ものうけれどもとなうれば定んで来迎にあづかる」と申されました。念仏の声が病床の中にも聞こえる。天華《はな》が降るのが見える。五色の雲が棚引き、浄土の音楽が聞こえる。そこへ如来は沢山の聖衆《ぼさつたち》と一緒に迎えに来てくださるというのは、至って清らかな聖者の往生を思わすようで良いようですけれども、この臨終来迎の往生には、凡夫がことさらの励みがいりますし、一生の間、不安心がつきものであります。さらに、信仰不徹底で称えることに自力を加えるのですから、一つの囚われがあって、絶対の安心と自由と仏果《さとり》は恵まれないで、いわゆる、化土《けど》の往生であります。親鸞聖人は、明らかに仏のみ心を頂き、『大無量寿経』の思召をほんとうに体験なさいました。そうして、平生業成、不来迎の浄土真宗をお開きくださったのであります。ここに全く人間の心のままを、ちっとも無理なく救われていく絶対安心の道が開かれたのであります。

平生業成とは、如来の本願が我が一人のためであったことに目覚めた時、私どもの貪欲《とんよく》、瞋恚《しんに》の煩悩の心の中に、念仏せずにはいられない、合掌せずにはいられない身にして戴いた時、その時に迷いをはなれて、覚りを開くことのできる身にして頂いて、再び迷いにかえり行くことのないことにしてくださるのであります。臨終まで待たないで、平生の時の一念の解決が未来にまで通るのであります。たとえ私が急病で念仏一つ称えないで死んでいこうと、苦しみ苦しみ死んでいこうと、全くそれに関係がないのであります。死にたくない死にたくないと思いつつ、息がきれても差し支えのない大安心であります。

先に引きました『執持鈔』の中にも、「根機《こんき》つたなしとて卑下すべからず、仏に下根《げこん》を救う大悲あり　行業疎《ぎょうごうおろそか》なりとて疑うべからず、経に乃至一念の文《もん》あり　仏語に虚妄《こもう》なし、本願あに誤《あやまり》あらんや」（島地二四―四、西八六五、東六四七）とあります。経に一念の文ありとは、『大無量寿経』の下巻、本願成就文の、「その名号を聞いて、信心歓喜し、乃至一念せん。至心に回向したまえり」との文のことであります。一念であります。唯一念に即得往生の身にして頂くであります。一念とは如来の願力が、私の汚い心の種々なる疑いや惑いの網を照破して、信心歓喜の身にしてくださるのであります。貪欲、瞋恚の心の中から一念、念仏申さんと思い立つ真実信心一つで救われていくのであります。ですから、『執持鈔』には、「然《しか》れば平生《へいぜい》の一念によりて、往生の得否《とくひ》は定《さだま》れるものなり。平生のとき、不定《ふじょう》のおもいに住《じゅう》せばかなうべからず」と申されてあります。平生の時、疑いながらの生活や煩悩だけの生活をしていたのでは、往生はできないのであります。

現生正定聚

『執持鈔』を拝読致しますと、

「平生のとき善知識の言葉の下に帰命の一念を発得《ほっとく》せばそのときをもて娑婆《しゃば》のおわり臨終《りんじゅう》とおもうべし」

（島地二四—五、西八六五、東六四七）

とあります。教えを聞くのは善知識のお言葉を聞くのであります。善知識は、如来の法《ほう》を伝えます。その知識のお言葉を通して如来のお言葉を聞くのであります。親鸞聖人も「親鸞におきては『ただ念仏して弥陀にたすけられまいらすべし』とよきひとの仰せを被《こうぶ》りて信ずるほかに別の子細《しさい》なきなり」と仰せられました。よき人の仰せを聞くのであります。

平生の時、善知識の言葉の下に、帰命の一念を発得したならば、そのときをもって娑婆のおわり臨終とおもえと仰せられます。このお言葉ほど、はっきり水際だったみ訓《おし》えはありません。二河《にが》白道《びゃくどう》の往生人は、「我今回《かえ》らば亦死せん、住《とど》まらば亦死せん、去《ゆ》かば亦死せん　一種として死を勉れざれば、我寧ろ此の道を尋ねて、前《さき》に向《むこ》うて去《ゆ》かん　既に此の道有《どうあ》り、必ず度《わた》る応可《べ》し」（島地一二─六三、西二二四、東二一九）と西方岸上のみ言葉に蘇った時、本願の大道を浄土へと歩む白道の上の人となったのでありました。帰命の一念、即ち如来の本願が、私どもの貪瞋煩悩の中に御念仏としてはたらき出でてくださった時、如来の真実に救われた時、勅命が聞こえた時、私が如来に帰命された時、その一念を恵まれた時、そのときをもって娑婆のおわり臨終とおもえのみ言葉であります。

しかしながらそれは決して、私の煩悩の日暮らしがなくなったのでも、腹が立たなくなったのでもありません。私は依然として凡夫であります。如来になったのでも、菩薩になったのでもないのであります。ただ、如来となるべき因が与えられたのであります。永劫迷うべき業力をたちきられたのであります。「本願を信じ名号をとなうれば、その時分にあたりて、かならず往生はさだまるなりとしるべし」とあります。往生は成仏のことであります。凡夫であるままが如来とならせて頂く因を頂いたのであります。ですから信心の人を正定聚《しょうじょうじゅ》の位と申します。正定聚とは正しく仏になり得る身として頂いたことであります。それは死んで後のことではなくて、現身がそのまま、五十一段弥勒菩薩と同じであると申されるのであります。

「この能帰《のうき》の心、所帰《しょき》の仏智《ぶっち》に相応するとき、かの仏の因位の万行《まんぎょう》、果地《かぢ》の万徳《まんとく》、ことごとく名号のなかに摂在《しょうざい》して、十方衆生の行体となれば」とあります。御文のままではむずかしいけれど、これを平たく言えば「真実の信心を得たとき、かの阿弥陀如来が菩薩であったときの万行、仏となられた時の万徳がことごとく南無阿弥陀仏の中に封じられて、それが十方衆生の往生させて頂く行体となるから、この六字をほんとうに得た者は、このまま正定聚の人である」（島地二四―五）と申されたのであります。

平生業成のみ救い

話は再び平生業成にもどります。

「われ已《すで》に本願の名号を持念《じねん》す、往生の業すでに成弁《じょうべん》することをよろこぶべし　かるがゆえに臨終に復《ふたた》び名号をとなえずとも往生を遂ぐべきこと勿論なり」

（島地二四―四、西八六五、東六四六）

私どもは、すでに如来回向の六字に生きています。往生の業因が最早出来あがったことをよろこびます。この身にさせて頂いたものは苦しい臨終に、ふたたび名号を称えずとも往生を遂げさせてもらうことは勿論であります。ここに大安心があります。平生業成の有難さがあります。

しかしこのお言葉を勝手にとって無信仰のいいわけに使ってはなりません。

真実の信仰は、一生相続するものであります。一度信じていっぺん念仏しておけば、一生涯何もしないでもいいのだと、勝手にとってしまえば、それは聖語《みことば》をおもちゃにしているのでありますす。真実の信仰は一生を貫くのであります。今日の生活が如来によって生かされるのであります。今日今日がほんとうに解決がつき、生かされておればこそ、やがて浄土へもいけるのであります。自然のお徳として力まなくとも、如来は毎日の日暮らしの間に念仏させてくださるのであります。とは言え、たとえ臨終断末魔に苦しい苦しいの一つで死んでいこうと、それにさまたげられることもありません。

平生業成のみ救いを有難く頂戴するものであります。

二　価値の生活

令　諸衆生《りょうしょしゅじょう》　功徳成就（諸の衆生をして功徳を成就せしむ）

他力ということをはきちがえたら大変なことになります。他力は他力であって、無力ではありません。心の眼が開いていない時にはたとえどんな話を聞かされても何にもなりません。卑俗な流行歌しか歌わない青年に高い上品な名曲を聞かせても何等の感銘はないでありましょう。もともと宗教は私一人の心の天地に生まれてくるものであって、私自身が救われていく事実であります。私の心が育てられ、光あらしめられ、往生させてもらう生きた事実であります。私の精神界をぬきにしては無意味であります。

「このまま」救われていくということほど間違いやすい言葉はありません。多くの同行たちは「このまま」をはきちがえて、何もないのを自分でこのままとおさえて、安心したつもりでいるのであります。近寄って見ると何もないのであります。「度々聞く必要があるものか、一度聞いたらわかることだ」と言って熱心な求道者を嘲笑している所もあります。

私どもは事実をただ見ることや知ることはできても、そこに本当の価値を見出すことが困難なことであります。世界一の名曲を今弾かれていますと、猫でもその音を聞くことはできます。誰もその流れ出ずる音曲をそのままに聞くことができます。それは存在せる事実です。しかしその名曲を名曲として真に感銘し美的価値を知ることは困難であります。

真に我がものにするとは単に話でおわるのでもなく、事実が事実でおわるのでもありません。事実の上に価値を知るのであります。

他力とは如来が衆生の上に顕現することだと申しましたが、『大無量寿経』のお言葉で申せば、「令諸衆生功徳成就」であります。「諸の衆生をして功徳を成就せしむ」というのであります。成就する原動力は如来であります。はたらくもの、成就するものは衆生であります。慈悲とは相手を完成することであります。如来が衆生の上に如来の生命を回向して衆生をして功徳成就の衆生たらしめるのであります。

如来を知るのには如来を知る眼がいります。如来を知る眼を失っていることが疑いであります。聞く耳、それが最も大切なことであります。聞く耳は、そのまま仏智《ぶっち》であります。聞く耳をもつことは、そのまま教えを信じ、如来を信ずることであります。この耳こそ、眼こそ、宗教的価値生活の根本をなすものであります。それは決して単なる智でも情でも意志でもなくて、実に私どもの全人格的な世界であります。

型の囚われ

聞く耳を持たないことは価値生活の生まれない根本でありますが、それと同時にいくら聞いても、そこに人間の作った固い殻をつくる時、また閉ざされた懈慢界になってしまいます。

「先生、お念仏をたくさん称えたら自力になりますか。称名正因の異安心だと先日聞きましたが」と申された人もあります。

「先生、私が寺にあまり参りますので、近所の人々に、あなたのように寺に参って、まるで自力でお浄土参りをする気か、と言われましたが、まことあまり参ると自力になりますか」と言うた人もあります。

あまり聞いたら自力になる、あまり考えたら自力になる。罪悪を深く味わえば信機秘事《しんきひじ》だ、法にこったら法体募《つの》りだ、というふうに他力をはきちがえて型の中に閉じこめられてびくびくしている様は、そのまま如来の大信海を人間のはからいで見失うているのであります。

身口意《しんくい》の三業に如来のお力が現われて、自然に身には合掌し、意には念仏し、口には称名する、それは他力自然《たりきじねん》の信仰の相であります。それを型にして功利的に考えられて、意では念《おも》い、口では称え、身には合掌礼拝せねばお浄土には参られないぞと型にしたのが三業惑乱でありました。三業帰命の異安心をおそれるあまり、念うては自力になる、称え方が多かったら自力になる、合掌礼拝すれば自力になると言うのは、角を矯《た》めて牛を殺すのであり、広島のように型の上で仏法の盛んな所では随分こうした愚にもつかぬ問題がおきているらしいのです。

こうしたことは型を造ったのであって生命の真のよろこびは味わえません、自由というものはありません。広い天地はありません。窮屈な穴の中に閉じこもって、ただ、異安心とやらになるまいとしてびくびくしているのであります。それこそ雑行雑修自力であって、異安心の親玉であります。如来は型や戒律ではなくて、真実の生命であり人格であります。

こうした型だけがものを言っている人たちの世界では、価値生活は功利主義の世界と変わって、ちっとも宗教価値の尊い世界には出ようがありません。と言っても決して親鸞聖人の残された御聖教や正しいみ教えを無視しようとするのではありません。無条件の救いを無条件に受け入れて真に如来に生きようと言うのであります。

価値の転換

私どもが信仰生活に入る動機は人間苦や煩悩を恐れることから始まりました。苦と煩悩とは二つあるのではないのであります。煩悩がそのまま苦であります。まだ信仰生活が徹底しない間はこの煩悩から出ようとするのであります。出た所にお救いや覚りがあると考えるのであります。しかし苦や煩悩からは出ることもできないし、出たら大乗仏教ではないのであります。煩悩即菩提とか、煩悩菩提体無二とか言うことは聖道の覚りでありますが、真宗では不断煩悩得涅槃と言われてあります。煩悩を断ぜずして涅槃《さとり》を得させて頂くのであります。

煩悩に苦しんでいるのは我等の現実であり、涅槃を得たいのは我等の究極的理想であります。しかしながら今如来に救われて念仏生活に出して頂いた上で信の味とでも申す世界では、その見方が全く違ってきます。昔の同行が煩悩様とよろこんだと言いますが、煩悩をかかえて泣いたものが、煩悩をたたえてよろこぶ世界であります。如来の顕現はただ苦悩や煩悩の泥中であります。煩悩のない時には如来もないのであります。如来が如より来生するは、ただ衆生の煩悩成就の世界においてであります。地獄をつくらないものはまた浄土へもいかないのでありましょう。地獄か浄土かと言う問題は、間髪を入れずという薄紙ほどの違いであります。一つの家庭が、そのまま如来にかがやく浄土の影現《ようげん》ともなれば、業火燃え狂う地獄の様にもかわります。

釈尊が『大無量寿経』の中に如来因位《いんに》の願行とその正覚成就を説き、その下巻に救済の方法をあかされましたが、その『大経』の如来の救済を、どこに行って盛りあげたか、それは実に家庭苦、父は悪子アジャセのために餓死の憂目《うきめ》にあい、母韋提希《いだいけ》は七重の牢獄の中に苦しむという、十悪五逆誹謗正法《ひぼうしょうぼう》、あらゆる業火の炎々として燃えあがる、さながら地獄そのままのただ中にとび入って、弥陀他力の救いを説かれた。即ち釈尊は「我が親友」を韋提希夫人《ぶにん》に見出されました。彼女が如来に救われたということは、如来法蔵の本願力が、業火のただ中に生まれたことであらねばなりません。

釈尊が高原の頂に如来の愛子を求めずに、王舎大城の五逆のただ中に救われるべき人を見出した。その御正意は煩悩こそ如来の活躍の真の舞台であることの表白でなくてはなりません。かくて我等は罪深き家庭の中に如来を発見して、つきせぬ感謝を得させられるものであります。煩悩ゆえに泣きし者も、煩悩ゆえに如来に遇うのであります。全くの価値の転換であります。「煩悩即菩提」という哲理の掲示は私たちにある深い満足を与えます。煩悩と菩提と本来二つあるのではない。仏も迷えば凡夫《ぼんぶ》なり、凡夫も覚れば仏なり、煩悩こそ菩提の種子であると、理論は私たちに大きなものをうなづかせます。しかし私たちの飾らない分別、差別の世界では、糞は糞であり、味噌は味噌であります。その成分から言えば何もちがったことはない。共に炭素や酸素や水素や窒素等の化合したものであります。けれどもこれを糞味噌《くそみそ》、ごっちゃにすることはできません。煩悩のまんまが菩提であると一応わかったつもりでも、夫婦喧嘩や貧の盗みが菩提でもあるまい。私たちは、はたとこの大きな哲理の前に行き詰まるのであります。かくて煩悩を悪《にく》んで、足を洗って、煩悩の苦海をのがれてかの理想を得んものと、ますます行き詰まらねばならないのであります。いくら生死苦海を出でようとしても生死流転のきずなは断ちがたく、灰色な心を如何ともすることはできない。その行き詰まった世界に、一大展開が行われたのが浄土教であらねばなりません。

聖人は聖者の高き覚りの峯の頂に自分をおかず、あわれ肉食妻帯の煩悩泥中に、久遠の凡夫として、破戒無名の愚禿と名のり、低き世界に、聖き崇《けだか》き如来の回向に目覚められたのでありました。如来の願作仏心《がんさぶっしん》は苦悩の有情においてであった。弘誓の船は難度海《なんどかい》を済度する大船であった。疑を除き証を得しむる真理は如来の胸中に秘められてあった。火は炭の上に燃え、如来の光明は無明の闇において除疑《じょぎ》得証の燈火となり、煩悩を仏凡一体と燃やしつくす霊火であった。

ここにおいて煩悩は深き意味と価値とを負わねばならなくなったのであります。最も低きものと最も高きものとの一体、無限の暗と無限の光との止揚、それこそ救われたる仏凡一体の境地であります。至って低きものも至って高き尊きものを生み出す時、低きものは低いままに意味を持って来ます。煩悩をたたいて喜ぶという、そこには満たされつつ精進せねばおられない世界があります。

泥は、それが白蓮華の咲きほこり、あるいは瑞々しい稲を作り出す宝田となった時尊いのである。もちろん泥は泥であり、蓮は蓮であります。泥は白蓮華の母体であり、我が抱く苦患煩悩は如来を生みし親である。煩悩即菩提の大乗仏教第一の提言は久遠の真理、永遠の金看板として掲げられたままに、実践方法としての浄土真宗は事実この理論と実際との行き詰まりを展開して、不断煩悩得涅槃、弥陀他力の救済の世界において生かしきったのであります。まことに宗教的価値生活の偉大なる転換であらねばなりません。聖人のいわゆる「回向したまえり」の世界、今さらに連綿と続く高僧知識の恩徳に感謝の合掌をささげざるを得ないのであります。

聖価値

私は今、福山市光善寺に来たって永代経法座の講演最中であります。嬉しき法の集いも今晩で最後であります。今唯一人、ペンをとって各地のなつかしき法兄姉を思いつつ、光善寺の一室に書きつづけています。我が心は念仏に輝かされつつ、心地よきペンの走りを紙の上に続けています。

人間は唯、単なる獣としての存在ではなくて、価値を知り、価値を生活しようとするのであります。価値をはなれては人生はありません。ビンデルバントや、リッケルトの哲学を持って来るまでもなく、人間の求めてやまぬ価値生活は、

論理的価値……………真（智）
倫理的価値……………善（意）
芸術的価値……………美（情）
宗教的価値……………聖

だとせられてあります。まことに人は真を尋ね、善を求め、美を生活しようとします。宗教的価値、即ち聖価値は、真、善、美を含んでしかもそれらを超越したものであります。聖は、真でもなく、善でもなく、美でもなくて、しかもそれらの統一体であります。一切真理の調和体であり、全一なる価値であります。随って概念以前であり、経験を超えたのであり、分解したり解釈したりすることのできないのであります。ですから我等の経験や批判や分解を超えた聖そのものは、人間が手出しをして握ろうとしてもできないのであります。

仏教で言う、一如とか真如とか実相とか法身とかは、この聖そのものでなくてはなりません。

この真如の体得された世界は、いわゆる菩提であります。菩提を成就するとは成仏することであり、覚りを開くことであります。菩提は実にこの聖価値そのものであります。

我等より以前に人類はこの神秘なる聖の殿堂の前に立ちました。そうしてある者は論理的に知ろうとしました。あるものは力いっぱい祈りました。ある者は深く深く考えこんで観念の世界に入っていきました。ある者は強く叫んで聖の殿堂をよびさまそうとしました。ここに一人の忠実なる真理への追求者がありました。

彼はこの聖の殿堂の扉の前に立って、真剣にこの扉の開く鍵を握ろうとしました。難しい戒律も立ててあります。しかし戒律の力ではこの扉は開かなかった。道徳的善の力でも駄目でした。概念の力でも駄目でした。称えても駄目でした。祈禱の力も無効でした。あらゆる神々の名も、仏の名も駄目でした。彼はついに絶望するより外になかったのです。

「汝等が真理に至らんとすれば、知るべきではない。ただ愛せよ。真理を熱愛せよ。真に真理を熱愛する者のみ真理を得るのである。愛の極致は信ずることである。神に至らんとすれば神を愛せよ。仏にならんとすれば仏を愛せよ。愛するとは信ずることである」とは多くの人たちによって叫ばれた言葉でありました。この態度をもって、人にはこの聖の殿堂の前に熱愛をささげつつ、祈り、称え、礼拝し、考えたのでありました。彼もまたこの信条のもとに精進したのであります。しかしながらそれはついに駄目だったのです。彼自身の中にそれを裏切る根強い力が動いているのが知れたからであります。

しかしながら一切の極まる所、新しき天地の開ける時でありました。信ずるということも、愛するということも、それが聖の世界に通ずるにはあまりに穢れていたのです。あまりに不純であったのです。「法爾《ほうに》として真実の信楽《しんぎょう》なし」とは彼のどうすることもできない叫びでありました。

しかし真実の教えの前に導かれた時、この宗教的大天才の前には新しい世界が展開されて来たのです。宗教的天才とは誰であろう、我が祖、親鸞聖人であったのであります。

感謝、懺悔、よろこび、……そんなものを先ず出して仏を呼び寄せようとするのは多くの同行であります。しかしそれは無駄な道草であり、知らずして陥る自力であります。我と聖との間によろこびを入れても感謝を入れても駄目なのです。

親鸞聖人にはこの絶望の前に唯一の聖価値体得の道が与えられました。

如来は聖そのものより来生せるものであった。如来は真に聖価値そのものにてまします。その如来……こそ、私が熱き信を捧げるに先立ちて、如来こそ衆生を愛しきり大慈悲の熱き至誠を衆生の上にと注ぎたもうのであった。

扉は外より我が手によって開かれるのではなくて、内より開かれたのである。扉とは聖なる如来が作り出すものではなくて、衆生心の疑惑こそ、久遠に我と彼とを隔離《へだて》る扉であった。

その扉を開く力こそ法蔵菩薩の本願力であった。「信じよ！」。それは正しい叫びである。そこまでは如何なる者も到達した。しかし信ずるということを衆生心におこそうとした。けれどもこの「信」は聖人の世界では凡夫の迷心でなく、衆生の一時の心ではなくて、如来の久遠のみ心こそ、信そのものにてましましたのであった。

「『信楽《しんぎょう》』と言うは　則ち是れ如来の満足大悲《だいひ》・円融無碍《えんゆうむげ》の信心海《しんじんかい》なり」

（島地一二―七〇、西二三四、東二二七）

如来心こそ信心の海であった。この如来の心が衆生へと動く時、これを本願力という。本願力の内容はただ信楽である。その如来の信楽こそ、そのまま衆生の信楽であった。衆生が如来を信じて如来を得るのではなくて、如来は信そのものを本質としたもうのであった。その如来の熱き信がそのまま衆生の信となる。これは聖なる価値を生きようとする者にとっては、不朽の大展開であらねばならない。かくて信ずるということはそのまま如来のなさしめたもうところであり、救われることであり、聖価値をそのまま戴く世界であった。これが他力の大道であり、人間の前に開かれた唯一の世界であります。

如来は聖それ自身からの来現であります。その如来は我等には信ずることのみがゆるされます。そうして、それは凡夫の誰にでも称え得る南無阿弥陀仏の名号として象徴《あらわ》されてあります。信そのものの上に浮かぶ念仏は、そのまま名体不二、如来の生命それ自身の働きであります。

かくして宗教的価値たる聖は如来回向の天地において、煩悩の衆生さながらの世界に恵まれるのであります。救いはついに私のものにまでなったのであります。

三　超越と随順

宗教は道徳を超越したものである。生活の上に高い価値が約束されないでは生きていけないのが人間であります。そうしてその価値生活は決して外に物的な世界を積み上げることではなくて、心の内に開いてくる世界であります。真・善・美・聖とは我等の求めている価値でありました。真、善、美の三つは、はっきりとした区別をもっています。善悪を取り扱う倫理道徳は決して美を生命とする芸術ではありません。けれどもそれらは又深い関係を持っていて、無関係だとすることはできません。

さて先ず私は道徳と宗教について考えていきます。道徳と宗教ほど密接な関係のあるものはありません。したがってこの関係ほど間違われやすいものはありません。しかし宗教は宗教であって、道徳ではありません。倫理道徳は倫理道徳であって宗教ではありません。しかしあまりにも密接なる関係を有するがために古来しばしば一つに考えてきました。また人間の心は一つに考えやすい傾向をもっています。仏教でもこの道徳の臭味のとれていない信仰のことを要門と申します。宗教の中にはこの道徳を土台にしたものもあります。倫理的宗教であります。よいことをすれば神に救われる。あるいは善人となったことが神や仏に救われた証となるのであります。人間に一番よく納得できるのはこの教えであります。

ですから多くの人はまず宗教生活の第一歩を道徳生活から始めます。そうして善いことのできる心の上に仏や神を見ようとするのであります。しかしながら宗教は宗教であって道徳ではありません。

親鸞聖人はこの道徳的宗教に行き詰まって、宗教と道徳とを全く別に考えたお方であります。道徳の世界は善悪の世界であります。善を離れては悪もなく、悪を離れては善もありません。ですから善悪の彼岸は永遠に善悪であって、善だけにはなりきることはできません。ですから善悪の世界にいては、心が眠っていないかぎり行き詰まります。行き詰まるのは内省が足らないからであります。

如来の御救いは真にこの善意の囚われから出されるのであります。その行きづまりを解決してくださるのであります。如来の救いは、善人も救われ悪人も救われ、智者も救われ愚者も救われます。一切を救うのであります。如来を信ずる……ということは善人の上にもなりたてば、悪人の上にもなりたちます。一切人の上に信ずるという世界が与えられます。如来の願力が衆生の上では信心となります。衆生の信心と如来の本願とは一体であります。されば衆生の善悪に関係して如来の本願が助けるのではなくて、如来の本願の真髄こそ信心であります。この如来の本願が我等の信心の根幹であります。

宗教の世界の権威は、実にこの道徳の世界を超えているところにあります。ちょうど月が天上に輝いているように、月が善人の上にも輝き、悪人の上にも輝くように、一切の上に超越しているのが如来の救済であります。

如来は「聖」それ自身であります。人間の善をも添えることができず、悪をもっても汚すことができない。一切の凡小のはからいをもってしてはついに汚すことも添えることもできないのが如来様であります。それが「聖」それ自身であります。聖は聖であって、人間の考えた善でもなく悪でもありません。この「聖」それ自身である如来様が我等の上に体験せられたのが信心であります。南無阿弥陀仏は如来の救済の全体であり、我等の信心の全体であります。

先日もさる所で小学校長が私どもの講演をただ一席聞きに来て、「宗教の倫理化だ」と言って帰ったそうでありますが、多分青年等に修養の話をしていたのを私の信仰の全部ででもあるように思ったのでしょう。私どもは今も申しているように決して宗教と道徳とを一つに見てはいません。宗教を家庭の治《おさめ》道具に思ったり、修養の手段のように考えたりしては、どうしても宗教の真髄にはふれることはできません。したがって徹底した安心もなければ輝きもありません。信仰には徹底した安心の一面があります。充たされた輝きがあります。如来のみ心と衆生の心とが一体になりきった所には手の離せる安心と心からの満足と亡びない輝きがあります。他力真宗においては特にこの道徳と宗教の世界がはっきりしています。親鸞聖人の信仰は絶対に道徳の上に超越しています。この道徳の上に超越することはかなり信仰に徹底しなければできないことであります。しかし超越ということはまた大変な間違いや考えちがいを与えるのであります。

超えると反くとの差異

超越するということは決して反《そむ》くことではありません。信仰が道徳を超越するとは、道徳に反いたことではありません。反道徳と超道徳とは全く違っています。

超道徳とは道徳をふくんでしかも道徳以上の世界にいることであります。

善だの悪だのとそんなことはどうでもよい、俺は自分の勝手にやっていくのだというのは反道徳の世界であって、世界を風靡した自然主義の考え方であります。

親鸞聖人が「本願を信ぜんには他の善も要にあらず、念仏にまさるべき善なき故に。悪をもおそるべからず、弥陀の本願をさまたぐるほどの悪なき故に」と仰せられたのは、決して善なんかどうでもいい、悪いことも勝手放題、気ままな生活をせよと言われたのではありません。

まことに我々の彼岸には永遠の光明、永遠の理想である阿弥陀如来があるのであります。この如来によって照らし出された我々の現実、その現実の姿こそ罪悪生死の凡夫であり、悪人なのであります。その現実の一切が如来によって摂取されたのが、感謝であり、懺悔であります。超越するとは現実を棄てることではない。現実のありのままが摂取せられるのであります。現実を如実に見ていくのであります。善悪の対立を棄てたのではなくて、善悪の対立があるままに超えたのであります。超えたのは反いたのでも、逃げたのでも失《な》くしたのでもなくて、真に現実に生きたのであります。決して本願さえ信じたらどんな悪をしてもいい、念仏さえ称えたらどんな悪いことをしてもいいのだというのとはちがいます。

如来の自利利他

真に迷うている者は迷うている自分を知りません。狂者が狂者であることを知らないように、生死《しょうじ》に溺れ、生死に固まった者は生死を見ないのであります。

私どもは超越せねばなりません。生死や迷いに囚えられて何時までも輪廻を続けることは私自身の死であります。私どもはどうしても救われねばなりません。救われるとは、この痛ましい苦悩や生死の中にいつつも、これから超えた日暮らしをさせてもらわねばなりません。いかにしたらこの生死の囚われから超え、苦悩を超えて生きることができるのでありましょう。

一体智慧は光明であります。この仏の光明は煩悩を否定します。如来の光に照らされてのみ我々は生死を生死と観じ、迷いを迷いと知るのであります。この生死を照らし出して生死を否定する心はすぐ、暗の中から光に向かう心であります。光は私を照らして私をして光に向かわしめます。私どもはただこの光によってのみ生死を生死と信じ、迷いを迷いと知るのでありま す。

如来は涅槃に住しておられます。お浄土にただ覚りを楽しんでいるような独覚とはちがいます。利他の大悲に動かされて、生死の苦界に御自身を顕現して、一切衆生を救います。まことに大慈悲なるが故に浄土にいて、しかも浄土にはいないのであります。如来の活躍はただ一切衆生の悩む生死の海においてであります。一如法性《いちにょほっしょう》の涅槃より生死に来生するはただ、この利他の大悲に動かされてであります。

すでに如来は浄土にいて、しかも浄土におられないのであります。しかし如来は決して生死に迷われないのであります。生死にいてしかも生死におられないのは、如来は智慧の体得者にてましますからであります。如来や菩薩が生死に住せないのは智慧の力であります。

如来の大慈悲は利他の心であります。光より暗に来たって苦悩に随順するは大慈悲のみよくするのであります。まことに如来は涅槃にいて涅槃におらず、生死にいて生死にいたまわないのであります。一切苦悩衆生に随順したもうが故によく生死を超え、生死を解脱したまい、よく生死を解脱したもうが故に、よく生死を救いたもうのであります。

凡夫

我等はもとより生死に悩む凡夫であります。罪濁の悪人であります。衆生であります。その我等が救われるとは、生死にいつつも、如来の智慧と慈悲とに生かされることであります。如来の智慧と慈悲とに救われるとは、よく生死にいて生死を超えさせてもらうことであります。まことに我等久遠の迷いは、苦悩にたえかねてこの苦悩より逃げ、この苦を棄てて安楽を求めようとすることであります。自分の責任や業苦をふりすてて、自分ひとりの平和を得ようとすることであります。

貧しい者は貧しいことに苦しみます。金持ちは金のために苦しみます。

子供のない者はないことに苦しみます。子供のある者は子供のために苦しみます。

病弱な者は病弱を苦しみます。若い者の大部分は恋に苦しむ。

夫に死なれ妻に死なれて苦しみ、姑と嫁が苦しみあっているものもあります。

全て人は様々な苦しみにおちいって苦しんでいます。

そうしてその苦しみの原因を多くは他人にぬりつけて、自分が背負いません。苦しみも自分が背負わないで、どうにかして楽を受けようともがきます。そうすることが決して楽しみを与えないで、ますます苦しみを重ねていくのであります。

救いと苦悩

私どもが真に苦をやすく渡りたいと思うならば、信仰の人になるより外はありません。信仰に入れば人間の苦悩が解決がつくとは、決して人間苦がなくなることではありません。又人間苦を逃げたり避けたりするのでもなく、人間苦を抱きしめていく所に如来の智慧と慈悲とによって超えさせて頂くのであります。よく生死の苦悩を超えようとすれば、苦しみに随順せねばなりません。よく生死に随順する者のみが、生死を超えるのであります。

よく生死の苦悩をそのまま受け入れて苦悩を苦悩として背負うていくのは如来の慈悲の心が然らしむるのであります。慈悲は力の源であり命であります。如来の大慈悲のみがよく私等の力となって苦の中にも生きていける広い心を与えてくださるのであります。

雪の中を独りの子供が裸足で走っています。「お前はどこへいくのか」と問いますと、「私はお母さんの病気が大変悪いからお医者様のところへ行きます」と足を真っ赤にして走ります。この少女は正しく雪の中にいます。雪の中に立たせているのは母の愛の力であります。人は時にお便所に行くのすら大儀であります。それがいやいや出るとすれば雪の道どころか、近所のお使いすら大儀であります。然るに雪の中にも自分を棄てて立てば、冷たいままに冷たくないのであります。それは親の恩を感じ慈悲に生かされているからであります。

真にこえようとすれば、真にしたがわねばなりません。貧しさを真に超えようとすれば貧しさの中におちていくのであります。逃げようともがかずに貧しさの中に生きていくのでありま す。一切をこえさせるのは如来の智慧のお力であります。智慧の光は私たちに正しい物の見方を与えて、私を大地の上に立たせるのであります。親鸞聖人の地獄一定の体験、愚禿としての名告り、善導大師の「自身は現に罪悪生死の凡夫」の深信、それらはすべて如来の智慧の光に照らし出された久遠の現実であります。この久遠の現実に帰っていく、そこに一切を負うて光に帰命した本当の姿が生まれてきます。

「智慧なるが故に生死にいて生死におらず」とは如来のみよくするのでありますけれども、救われた者も身は生死にいつつも、苦しみにいつつも、苦を一身に抱きしめるが故に、よく苦悩をこえて生きていくのであります。まことに苦をこえようと思えば、進んで苦を担うことであります。父我を苦しめず、母我を苦しめず、その他一切人が我を苦しめず、ただ我を苦しめる者は我のみであることを思う時、我は一切を忍受せねばなりません。一切を自然に忍受する時にのみ、よく一切をこえるのであります。

菩薩道

大乗の菩薩は「極めては流転を厭えどもしかも流転に向かい、涅槃を信楽《しんぎょう》すれどもまた涅槃に背く」と申されます。思うに生死にいて生死にいないのは、智慧の力、涅槃を得ても涅槃にとどまらずして生死に生きるは利他の慈悲であります。智慧によって自利し、慈悲によって利他するのであります。

この自利利他円満の世界こそ菩薩道であります。生死と別なる涅槃に逃避するは小乗の功利の心であります。生死を離れ、生死を捨てようともがく者は、かえって益々生死にとらえられます。真に生死を生死と知ってしかも生死に囚われないのは菩薩であります。

凡夫は真に生死を知りません。真に生死を生死と知らないが故に生死を畏れません。生死を畏れませんから道を求める心がありません。生死を生死と知らず、迷いを迷いとも輪廻とも知らずして、しかも苦を厭い、苦を逃れ、苦を避けることにのみ疲れて、ついに生死に囚われて死んでいくのであります。

菩薩は智慧に輝きます。この智慧の光は、生死を生死と知り、生死の実相を見ます。生死の実相を知るが故に生死に固着しません。生死に固着しませんから、よく解脱します。生死を解脱するとは、よく生死に随順することである。生死を棄てずしてよく涅槃を得るのであります。

念仏の世界

我等はもとより生死の凡夫であって菩薩の智見を持たない哀れを知っています。ただ念仏一つによってこのまま救われていく凡夫であります。しかしながら、我等の念仏は如来の救いの名告りであります。念仏は信心であり、やがて智慧であります。

かつては、自分の幸福を、私の周囲を改造し、私に与えられた隣人を色々と取り換えて、私の気にいるように人と境遇とを変化改造することによって私の幸福を得られるのだと考えました。その時には自分は棚にあげてあったのです。自分は正しい、悪人ではない、という高慢さのために、自分をぬきにしていたのであります。しかし念仏の世界に出してもらう時、そんなことを言っていられなくなったのです。

私の世界の明暗を支配する契機はただ私の胸三寸にあったのです。私が私の世界の責任者であったのです。そうして逃避もならず、弁解もゆるされない、現実のありたけを抱いて如来のみ前に拝跪する時、私は私のありたけを負うて抱いて落ちていくより外に道はなかったのです。

信仰聖壇！　その上に立った時だけ、私どもは一切のゴマカシと、いい加減な妥協が許されません。甘えることも許されません。如来は久遠の光明であります。この久遠の光の前に出された時だけ、私どもは酔うことを許されません。一切の偽善の面、偽善の衣をはぎとられ、賢善の化粧をはぎとられて、久遠の我にかえっていきます。久遠の光明が久遠の我によびかけます。この久遠の光明と久遠の我との間には薄紙一枚挟《はさ》めません。凡小のはからいの一切が入れられません。

然るに現今の信仰界をながめた時、痛ましくも、久遠の如来の大悲も大智も、それが人間久遠の迷執を打ちやぶる力を失って、同行たちはいたずらに安価なる感情の陶酔に自分をいつわり、悪人正機の利剣も、凡夫の迷執をぶち切るによしなく、感謝の化城にとどまり、念仏の讃歌に眠るは多く同行である。ただ功利主義の信仰の道具となって、哀れ超世無上の大誓願も、老婆一夕の玩具となる。そもそもいったい誰の罪ぞ……

覚《さ》めよ！　さめよ！　一切を棄てて厳粛なる如来久遠の智慧光の前に立て、如来は久遠の我にむかって今も「汝一心正念にして直ちに来れ！」とよびかけたもう。誰かこの如来のみ前に高慢のまま立ち得るものぞ。我々はただ生死流転の我をそこに見出します。

この永劫流転の我、「曠劫よりこのかた流転して出離の縁なき」我の内観こそ、生死を生死と知らしめる如来の智慧光であります。「おちる」というも、機の深信というも、つまりは真に我らが生死に随順するすがたである。

ですから、驚くべし、生死を生死と知れるその刹那は我等が永遠に如来の願船上《がんせんじょう》に更生せる時であります。如来の大慈に摂取され、弘誓の願船上の往生人とならずして、凡人の体験はないのであります。

如来の大慈悲の懐にいだかれてあるが故に、よく生死の唯中に合掌します。念仏します。念仏は高き山の頂に現われずして、低き凡人の泥中においてであります。低き生死《しょうじ》煩悩の泥中に我を見出す時、念仏はこの低き谷の底に咲き出でます。

無碍の一道

念仏者はよく生死に随順します。よく生死にしたがうが故に、生死にいて生死を超えます。生死を超えるが故に、生死に随うのであります。

「念仏者は無碍《むげ》の一道なり　そのいわれいかんとならば、信心の行者には天神地祇《てんじんちぎ》も敬伏《きょうぶく》し、魔界外道《まかいげどう》も障碍《しょうげ》することなし　罪悪も業報を感ずることあたわず　諸善も及ぶことなき故なりと、云々」（『歎異抄』）（島地二三―三、西八三六、東六二九）とは生死にしたがう者の生死を超越する風光であります。罪悪や業報から離れたのではない。苦悩を逃避したのではない。よく業報を背負い、よく苦悩を抱きしめる者のみ、そのどん底に開く無碍の一道を感ずるのであります。

心は浄土にあそぶ

明円寺《みょうえんじ》住職松江師は、師の知人である、もと第六高等学校の教授、池山先生の夫人の信仰について語られました。

話はこうである。池山氏の奥さんが胃を病んで岡山県の病院に診察を受けに行かれました。その時の診察の結果は胃ガンだと言う宣告であります。胃ガンは不治の病であります。控室に帰った奥様は、今や死の巌頭につきおとされてしまった自分を思った時、一切から突き放された絶対の寂しさに陥りました。夫も子供も一切が去っていく……と思った刹那、床板もろとも地下数丈の底におちていく……しかしその一念は長らく悩む信仰問題の解決のつく時でした。一念如来の大救済にふれました。一切の疑いはとれてそのまま救われていく大安心《だいあんじん》に入りました。多くの病者が死の宣告を受けた時、力も気も落ちてしまって歩いて帰ることができなくなるのが常であるのに彼女は一層力づきました。そして平気で帰りました。更に奥さんは思いました。「主人でなくて私でよかった。私が病気でよかった。とそれが一つ、次にはこの病気でよかった。胃ガンでよかった。でないとこの救いはわからなかったであろう」と心中にひらめきました。泣くべき世界が笑う世界に転じたのです。

それから後の死に至るまでの生活は実に悠々たるものであったのです。静かに死後を思って主人のため子供のために、裁縫を急ぎ、片付けに精出して、ついには銀婚式のかわりに送別の宴をはって、近角常観師その他の知人を招いて心よくお別れして帰るが如くやがて大往生をとげられたそうです。

私は池山夫人の生活について多くを記憶していませんが、これが信仰生活の力であります。一切の業《ごう》にさからわずに荷《にな》って全てを如来にまかせて生きていく相《すがた》は、一面生死に随順したのでありましょう。苦からのがれようとのもがきがありません。そうして他の一面よく苦悩を超えています。これこそ如来の智慧と慈悲とのよく然らしめるところであります。

地上の一切を知って、地上に真に生きる愚者こそ、悪人こそ、やがて地上の一切を超えて、永遠の浄土に咲く花であります。

「超世《ちょうせ》の悲願ききしより　われらは生死《しょうじ》の凡夫かは
有漏《うろ》の穢身《えしん》はかわらねど　こころは浄土にあそぶなり」（帖外和讃）（島地一一―四三）

この聖人の心からなる歌こそは、生死に住して生死におらず、心は永遠の浄土にあそびつつ、しかも有漏の肉身を棄てない、信仰によってのみゆるされる超越と随順の一体なる法悦の世界であらねばなりません。

栄枯盛衰のままに

私どもはいたずらに外的、物的な世界にのみ走ってはなりません。百万長者になるもよし、しかしながら百万長者は必ずしも富める者ではありません。私どもは貧しいことを恥じ、それを厭います。しかし貧しい者が必ずしも貧しいものではありません。心の内なる世界一つでは、貧しい世界にも富める者以上の世界が開いてきます。

ここに一食の麦飯があります。口の富んだ者はこの麦飯の前にその顔をしかめるでありましょう。彼はこの麦飯に縛られたのであり囚われてしまったのです。

「謹んで味の濃淡をとうことなかれ、つつしんで品の多少を論ずることなかれ、これはこれ保命の薬餌、餌と渇とを了すれば即ち足る。もし不足の想念をおこさば、化して鉄丸銅汁《てつがんどうじる》となるべし……」。一杯の飯をも合掌して「如来の御用物をいただくよ」と感謝するものには、麦飯もそのまま百味の飲食《おんじき》です。私はいたずらに感謝主義の信仰を宣伝する者ではありません。例を一杯の麦飯にかります。よく一切に随う時のみ、自然に道は開かれて、一切を超えるのであります。

あまりに外部に求めずに、内の世界にもっと高い智慧の光が訪れねばなりません。でないとたとえ人間は千人が千人平等に百万長者にしてもろうた所で幸福ではありません。道は決して外的な改造によって開いてはきません。正しいものの見方、世間のあるがままを抱いて、その上に私たちの本当の道を見出していきましょう。

朝日の昇るように栄える家に生まれ合わせた人もあれば、崩れるように亡んでいく家に涙の一生を持って生まれた子もある。人様々の身の上が人様々の生活をつくる。栄枯盛衰はまぬかれないのが人の世のさだめである。栄える日には栄える中に、衰える日には衰える中に、それさながらの中に光を見つめることを忘れまい。真の信仰はこの苦悩のどん底に生まれる光である。信仰は決して形の改造のためではない。亡びる身代を支えるためではない。体を強健にする手段ではない。病む日には病む日の微笑であり、迫害や攻撃のただ中にあっては、それをじっと受け入れて静かに自己を培わせて頂き、讃美や幸福の恵まれる日には静かに自己を忘れずに精進をさせていただく光である。真に現実の苦悩に随順するには、ものの正しい見方をする智慧と力とがいる。信仰は力であり光である。随順する者こそよく一切を超越する。

四　来たりませ慈悲のみ園に

新聞を開いて見ると、年の暮れも年の始めも、人間の罪の記録で充ちているではないか。どの頁もどの頁も、人間の生血で染められているのを見た時、何で涙なくして読まれようか。

いつごろからか、私の心の底は涙にみちて乾く時がない。うるむ心を抱いて、悲しい出来事を読む時はもちろん、温かい人に会っては泣き、冷たい人に会っては涙ぐむ。又しても又しても涙の子のみが私のもとを訪れてくださる。人の子は心ゆくばかりどこかで泣きたいのだ。出ずる涙のありったけを流して痛む心を癒す所がほしいのだ。

一生を涙なくして暮らせる者があるだろうか。けれども冷たい世界に生きておれば人の涙は凍るのだ。そしてそれになれて来る。人の子の心の底の涙が枯れてしまった時、そこは淋しい。沙漠のように荒んだ世界を誰が好もうぞ。嫌だと知りつつ何時か荒んで涙さえ流れない。

人は皆、愛に輝く人格の前で、心の底の泉を掘り下げたいのだ。温かくうるむ心になりたいのだ。まことに愛に輝く人格は火鉢である。万人の火鉢である。汝は、世間に不幸なる罪悪が行われた時、冷たい眼で見て通りはしないか。「仕方のない奴等だ」と身の程も忘れて、さも善人らしく冷やかにながめ下してはいないのか。

六道輪廻の旅に疲れ、人間苦に悩まされた哀れな兄弟たちに、何でこの上鞭うたれようぞ。人間と自然との激しい争闘につかれた人たちに一番欲しいものは、安らかな憩いではないか、安息ではないか。哀れな疲れたる兄弟たちよ。来たりたまえよ慈悲のみ園に。阿弥陀仏こそ御身たちの安らかなる安息のみ胸よ。

血みどろになって甦れんとする兄弟たちに、人間苦になやみたもう兄弟たちに、何でこの上修養がとかれようぞ。人は修養では救われない。理論に飽き、道理に中毒し、理想の破れた兄弟たちに、何で無味乾燥な哲理が間にあおう。来たりたまえ慈悲のみ園に、御身の心霊に火はつけられよう。情の狂うがままに、恐ろしい罪を犯してしまった人の心は、法律を以て罰することができ、罪の報いの恐ろしさを知らせることができよう。けれども法律の力で彼を救うことはできない。彼を救う力は法律の中にはない。審判の席にはない。ただ彼を救う力は、彼の上に注がれた涙の力を以てのみだ。

君は善人たらんとしつつも、内から動く宿業の力にもろくも罪悪の奴となって、冷たい因果の鉄則の前に監獄の囚人となり、新聞の三面記事にさらされたのだ。何も思わない、考えない世間は、罵りと嘲笑の弓矢をとってなおも君を追撃するだろう。君はなお痛ましくも戦おうとするか、自暴自棄の酒によって、哀愁の涙を消そうとするか。来たりたまえ久遠のみ座に、かえりたまえ心霊の故郷に、大慈大悲の親里へ。

三千年のその昔、王后韋提希《いだいけ》は、十悪五逆の罪濁と怨憎会苦《おんぞうえく》の人間苦にやつれた身心を釈尊の前になげ出して、まんまと救いとられたではないか。

「唯《ただ》願わくば世尊、我が為に広く憂悩《うのう》無き処《ところ》を説きたまえ　我当《われまさ》に往生すべし　閻浮提濁《えんぶだいじょく》悪世《あくせ》をば楽《ねが》わざるなり　此の濁《じょく》　悪処《あくしょ》は地獄・餓鬼・畜生盈満《ようまん》し、不善《ふぜん》の聚《ともがらおお》　多し　願わくば我未来悪声《あくしょう》を聞かず悪人を見ざらん　今世尊に向いて五体投地《ごたいとうち》し求哀懺悔《ぐあいさんげ》す　唯願わくば仏日《ぶつにち》我を教えて清浄業処《しょうじょうごうしょ》を観《かん》ぜしめたまえ」

（島地二―四、西九〇、東九二）

一生を営々として、子供のために、家業のために、炊事のために使い過ごして、しかも何物をも報いられずして徒らに老い弱って愚痴や不平で灰色のまま死のうとしている姉妹はないか。来たりませ。大悲の園に。大悲は悪人女人を正機《しょうき》と呼びたもう。

もし全人類がもっと温かい心を持ち合うことができるなら、罪悪の記録は減るだろう。まことに罪の子は、冷たい家庭や社会に造られていくのだ。一切衆生の業苦なのだ。自分の魂を見つめた時、どんな恐ろしい惨劇の中に出てくる人物の上にも自分を見出すことができるのだ。私の内なる恐ろしい悪魔のようなささやきが、そのまま何かの悪縁にふれて培われたら、どんな事件をおこすかもしれない。そうした恐ろしい心の芽を冷たい世間で太らせるからこそ、罪悪の悲しい出来事が生まれるのではあるまいか。尊い自分を冷たい世間に棄ててはならない。来たりませ。温かき大慈大悲の春の園に。一切衆生悉有《しつう》仏性《ぶっしょう》、み胸にやがて信心の華開けて、如来誕生ましまさん。

同胞よ。永遠の大生命にさおさして、生き活きていく我等じゃないか。単純な眼で世の中を眺めてはならない。複雑なる宿業の力で、痛ましい罪の人を眺める日があまりに恐ろしすぎはしないか、鋭すぎはしないか。あまりに冷たい我等の仕業。せめて同情の涙を注ごうではないか。如何に荒んだお方でも、愛にも慈悲にも感じない人はないはずなのだ。

念仏は人間最後の解決である。濁れる心が如来の悲涙に洗われて、永遠に力強く立ちあがったのだ。念仏によって心の底には泉が湧く。荒んだ目で世間を見れば世間もまた荒んで見えよう。愛にうるむ眼を通して疲れきった世間を見れば、何で悲しまずにいられようぞ。寒の日の夕の街は忙しい。様々な人が様々な方角に動く。我が心の眼には涙がにじむ。

弱い者にほしいのは力じゃないか。来たりませ。聞きませ。易行の他力。本願一実《いちじつ》の白道《びゃくどう》はおん身の前に開け、如来金剛のみ力は、あなたのものではありませんか。南無六字の霊火が、煩悩の胸底に、感激の心頭に燃えあがる時、あなたはついに力の人となり得るのだ。阿弥陀仏こそ弱き者の力づけられる金剛のみ胸よ。

五　回向のみ名

私は今生きている

「私は今生きている」

じっと目をつぶって深く冥想する。心の底から何かしら力強く叫ぶ。

「私は今生きている」

それだけ、やっとつぶやいた時、私の全霊は感激にうちふるい、沈みきった心の底には無限の涙が湧き出る。

「私は今生きている」

それは断じて、浮いた心持ちでもない。安価に感謝した心地でもない。無限の寂しさの中に雄々しくもこみあげて来る血の叫び声である。

「私は生きている」

このたった一つの事を忘れているならば、道徳だ、哲学だ、宗教だ、芸術だと言ったところで、職業、貧富、貴賤、夫婦、兄弟、親子、家庭、社会、国家、世界、そんなことを言って騒いだところで、それは何にもならない概念の遊戯であり、乾《ひ》からびた砂原のような死の世界、幽霊の世界の幻にすぎないのだ。

「私は今生きている」

同胞よ！　私の愛する兄弟たち、もう一度眼をつぶって考えて見ようではないか。一念ここに思い至る時、万物は皆生きているではないか。私が生きていないでどこに「苦」があろう。苦がなくてどうして楽があろう。宗教もない。道徳もない。芸術もない。

「私は今生きている」

この涙ぐましい感激の真っ只中にこそ、全ての人生が生まれ出ずる無量の声が聞こえるではないか。

教育

人は全て金持ちになれば幸福を感謝し、食にも困るほど貧しければ、その不幸を呪うものである。幸福に出会って感謝し、不幸に遭遇しては悲しむ人の子には、そこに種々なる教育がある。

感謝せよという教えがある。富めば富んで感謝し、貧しければ貧しくて感謝する。病気を感謝し、衣食に感謝し、子に死別されて感謝し、火事にあって感謝する。生活の一切をあげて感謝せよとの教えである。しかし考えて見なければならない。それが果たして行きづまりのできない日暮らしだろうか。子供が生まれて喜んだ者は、子供を失って泣かねばならない。富むことを感謝していたものは、貧しくなれば呪うのが当然である。

一家が全部達者であることに幸福を感じていた者は、病魔におそわれた時は暗い一家になるのも当然である。一度や二度は、不幸に出会っても、神の試練、仏の御はからい、御催促だと感謝もしよう。けれどもそれが末通った道であろうか。私の生活相そのものを感謝の種に見て行こうとする教えは、ついには私を躓《つまず》かせるのである。幸福であることを感謝せよとも言わない。そんな常識的な世界を去って、もっと深い世界をのぞいて見よう。私どもは、唯ぼんやりと感謝の霧の中に自分を偽ってもならない。真実の価値を見失って、永遠のさまよいに沈んでもならない。

「私は今生きている」

このたった一つの事実を出発点にして、深刻な反省と考察を加えつつ、静かに、如来の生命にふれさせてもらおう。

宿業力

見てごらんなさい。人間の住むところ、そこには冷たき監獄と裁判所と、厳しい警察が設けられて、国費がここに費やされ、国民の血潮はここに消費されています。人々は如何にしたら、この呪わしい監獄と裁判所と警察とをなくすることができるかと研究し、努力しています。しかし人類の歴史があって以来、今日まで、厳しくこそなれ、そうしたものが地上からなくなった時があったでしょうか。人々はこれについて考えて見ないのでしょうか。

一体それはどこにその根本原因があるのでしょうか。自分を見つめて生きる私どもはおそろしいことを見出してしまったのです。私の心の中を見つめます。見よ。私の心の中にこそ、あらゆるおそろしいものを持っているではありませんか。殺人、放火、強盗、窃盗、強姦、詐欺、あらゆる犯罪の根本は皆私のうちにあるのでありました。

「虚偽を言ってはならない」。それはいかに古臭いと言っても、守らねばならぬ道であります。しかるに、私のうちには平気で虚偽を言う心があります。そもそも、この世界がかくまで虚偽の世界になった原因を他に見出すことはできないのであります。私のこの虚言一つ平気でいい得る心、その心こそ、かくまで人類が「そらごとたわごと」であることの根本原因であります。

人々は、新聞の三面記事の毎日なくならないのを見て、眉をひそめて、さも嫌らしそうに

「仕方のない奴どもがいるから国家が汚れるのだ」と聖者にでもなったように申します。青木月斗氏の奥さんが、沢山な子供の母であり、責任ある家庭の主婦であり、俳壇の権威月斗先生の夫人であることをも顧みず、一書生と北海道に走ったのを見た時、世人は、皆高い世界から下界をでも見下すように、貞操論を持ち出したり、世道人心の腐敗したことを慨歎していました。「妻たる者が……」「母たる者が」とあらゆる批判の声をそれにむけるのでありました。もちろん私とても、決してあんな事件をよろこぶ者ではないのであります。一倍まさってそうした事件が後から後から出てくることに悲しむ者であります。

しかるに一度私が私にたちかえる時、それは決して人様を笑ったり怒ったりしてはいられないのであります。私には一生そうしたことがないと誓われましょうか。いえ、私が他人の妻を恋せぬと言われましょうか。私のこの心のうちに、女性を見て、色情を感ずるこの心がなくならない間、刑法第百八十三条「有夫ノ婦姦通シタルトキハ二年以下ノ懲役ニ処ス其相姦シタル者亦同ジ」、この条文は存在するのであります。この嫌な法律を存在させている者は、誰でもない。私の今現に有するこの、処女だとか妻だとかの差別を超えて動き出るこの心こそ、たった一つあの法律を生み出した根本的原因であります。しかして私はついにこの心を消滅せしめることができるでありましょうか。もし私の心がなくならないならば、永劫に地上から、姦淫の二文字がなくなる時はないのであります。千載悲泣しても足りません。

反逆者

都会の子供たちはまず幼稚園に学びます。十九世紀の教育学者フレーベルがドイツにおいて幼稚園を開いたのが初めてであります。人間はまず満四歳になるやこのフレーベルのはじめた幼稚園に入って、そのいわゆる恩物《おんぶつ》によって教育がほどこされてあります。ついで小学校に入ります。そこでは、六か年教育を受けます。朝も昼も、道徳を教えられ、知識が授けられ、体育をほどこされます。過去明治時代には、日本教育はその原理をヘルバルトの教育学説によって与えられました。有名なるヘルバルトの五道念、内心自由、完全、好意、正義、衡平、その五道念に裏付けられたる主知説によって、興味中心の教育は、日本明治時代の教育でありました。

大正の今日、新理想主義のあらゆる哲学説、教育学説、倫理学説が紹介せられて、世は走馬燈のように多忙に、論ぜられ、実行せられ、研究されて小学教育から大学教育まで、秩序整然たる教育が行われています。人々は金の力によって、学士となり、博士となり、堂々たる大家となって、カントの哲学を論じ、東洋文明を論ずるのであります。

しかし私は悲しいことながら、かかる有様を見て、この教育法を見て、お暇をせねばならないのであります。現代の教育は要するに、国家社会の椅子に腰をかける人を作る教育であり、社会の機械を作る教育だからであります。機械や椅子は決して生きた人間ではないのであります。

十八世紀にドイツが生んだカントは不朽の大哲学者であります。カントを捨てては今日の全ての哲学もその立場を失うのであります。まことにカントの思想信念は、カントの考えたことが正しい間、カントの示した教育説は我等の前にほんとうの世界を表してくれた。理想せられたる美しい世界は我等の前に開けている。彼は偉大なる哲学を掲げ、厳しい道徳律の鉄鞭をふるい、永遠の世界を前途に見せて、それに至る唯一の方法を教育だと言った。

まことに教育によってのみ、時代が進むにつれて、何時かは完成に近い人類社会が現われ、幸福なる地上を出現することがその信念であり、哲学の帰結であった。噫。されど、私は思わず長歎息《ちょうたんそく》せざるを得ない。教育はそれほど大きな使命を担うことができるのか。私はもう一度私にかえって静かに思わねばならない。一念私は私の内心にたちかえる時、まことに広島高等師範の福島政雄先生と共に、この冷たき哲人の世界からお暇せねばならないのであります。

「その深き立場から、人生を観じ倫理を説き、ついに教育に及んで人類の将来を望んで光ある世界を描いているその姿は、まざまざと吾人の眼の前に見えるように感ずるのである。吾人はそこに秀麗なる富嶽《ふがく》を仰ぐようにも感ずるのである。しかしながら吾人はその秀麗なる姿を仰ぐと共に、哲人に対する吾人の悲しみを感ぜざるを得ないのである。哲人の背は卓爾として吾人の眼前に聳えている、吾人の前には格率《かくりつ》の急坂があり、吾人の背には無上命法の鉄鞭が鳴り響いている。吾人は既にスペンサーに背をむけて去ったものである。而《しこう》して今この急坂を前に仰いでいるのである。吾人はいかにしてもその急坂をよじ登らねばならない。しかもこの時すでに吾人の心の中には力強き反逆者が現われているのである……」

噫。この私の心中に出没する反逆者、王陽明のいわゆる「心中の賊」、善導のいわゆる「群賊悪獣」、この永遠に亡びない反逆者こそ、全ての哲学をも、道徳をも、木葉微塵に粉砕するではないか。あわれ、十数年の教育も数千冊の読書も、あらゆる記憶されたる概念も、一度我が心中にこの一群賊が頭をもたげた時、一切が権威を失って、そこには暗黒の世界が血みどろに残されるではないか。ああ、あの冷たき監獄の鉄壁も、私のこの反逆者故に造られてあるのだ。煩瑣《はんさ》なる法律の条文もこの複雑なる我が心中の賊を縛る捕縄にすぎないのだ。教育もここに権威を失い、哲学もここにただ一片の概念となりおわるのである。

永遠の戦場

ワシントン会議が開かれて、軍備縮小が実行されて、日本や米国や英国の海軍力を制限し、巨万の富をかけた軍艦が打ち沈められ、軍艦建造が自由にできなくなってきました。行く行くは世界から戦争という二文字をなくする考えでありましょう。然れば、果たしてこの地上から、血なまぐさい戦争がなくなるでしょうか。まことに戦争をなくしたい。数百万の人の命と、数百億との財宝とを使って世界を修羅場にした、あの欧州大戦乱を終極として、いや今日この頃中国において行われつつある動乱を最後として、地上我等の子孫をして戦争を過去の昔噺《むかしばなし》の種となさしめたい。それが果たしてできるか。できるか否かを私に問うて見たらいい。私はまたも私にかえらねばならない。

思うてここに至る時、私はまたもや千載悲泣の痛ましい凡夫であります。平和を喜び、人々と共に和らぐ世界の欲しい心は人一倍強いと思う私の心の裏には、不思議にも、法爾自然《ほうにじねん》に、争わねばやまない心が動いているのであります。人の小さい過失をも責め、妻や妹や親の言葉尻さえ捕えて争わねばやまない悪魔を見出すのであります。貸した金を支払わない時、一度や二度は言葉柔らかに言って見るが、ついには法廷に出て白黒を定めたい心、私の仕事に対して邪魔をする者をば、力を以て亡ぼしたい心、私のパンを取って食わんとする者と戦って、私のみが生きてゆかんとする心、その心こそ、実に世界から戦争をなくすることのできない原因ではないか。噫、まことに私にこの心のある間、ここ数日広島の天地に爆音高く飛んでいるあの飛行機も、ついに戦いのために使われるであろう。私どもの過去において、多くの聖者、哲学者によって、平和論は説かれた。そうしてそれが人間の理想でもあった。しかしながら、歴史あって三千年、人の世の記録はついに戦争の歴史でしかなかった。戦争なくしては人生はないのか。戦いなくしては人生はないのか。戦いなくしては平和もないのか。しかもこの地上から戦いをなくしようとすれば、私のこの心中の賊を亡ぼされる日がこない以上、ついに永久平和の理想は人類の唯の夢でしかないのだ。

然して私は毎日この悪魔に悩まされ、ついに、これを征服することに絶望したのだ。故に人類もまたついに、この永久平和の理想を永劫に棄てなければならないのだ。まことに、私の心中に現われ出ずる戦いの心こそ、満州の野に幾万の同胞を白骨にし、海に恐ろしい軍艦を列べ、陸に厳しい剣戟の林を立てているのである。全てが我一人の責任なるが故に、罪悪なるが故に、世界列強の会議でもいかんともできない。法律や訓令ではいかんともできない。私が私のこの反逆者を退治するより外に一生衆生の救いはあり得ない。

永劫流転

まことに我を裏切る者、我に叛く者は我であった。しかもその我に叛く群賊をついに如何ともすることができないのだ。ここに我はついに、精神的破産に陥ったのである。永劫救うべからざる我を見たのである。

我が聖親鸞は、この悲痛なる生命破産の我を見出して、血をもってかの信巻に書きつけたのである。

（一）「一切の群生海　無始《むし》より已来《このかた》　乃至今日《こんにち》・今時《こんじ》に至るまで　穢悪《えわくわ》汚染《ぜん》にして清浄の

心無《しんな》く　虚仮《こけ》・諂偽《てんぎ》にして真実の心無し」　（島地一二―六八、西二三一、東二二五）
（二）「然るに無始従《よ》り已来　一切群生海　無明海に流転し　諸有輪《しょうりん》に沈没し　衆苦輪《しゅくりん》に繋《け》縛《ばく》せられて　清浄の信楽《しんぎょう》無く　法爾《ほうに》として真実の信楽無し　是を以て　無上の功徳、値遇し難巨《がた》く　最勝の浄信、獲得し難巨し　一切凡小一切時の中に　貪愛之心常に能く善心を汚《けが》し　瞋憎《しんぞう》之心常に能く法財を焼く　急作・急修して頭燃《ずねん》を炎《はら》うが如くすれども、衆《すべ》て『雑毒《ぞうどく》・雑修之善《ざっしゅのぜん》』と名《なづ》け　亦『虚仮《こけ》・諂偽《てんぎ》之行』と名く　『真実の業《ごう》』と名けざるなり　此の虚仮・雑毒之善を以て　無量光明土に生《しょう》ぜんと欲す　此れ必ず不可なり」
（島地一二―七一、西二三五、東二二七）
（三）「然るに微塵界《みじんかい》の有情《うじょう》　煩悩海に流転し　生死海に漂没《ひょうもつ》して　真実の回向心無く　清浄の回向心無し」　（島地一二―七五、西二四一、東二三二）

こんな困難な文章の読めない人のことを思うて、これをやさしく書き替えてみます。
（一）「あらゆる衆生は過去久遠の昔から、今日、今時に至るまで、煩悩罪悪に穢れ汚れて、少しも清らかな心をもっていない。うそいつわり、へつらいのこころばかりで、真実の心がない」
（二）「しかるに無始よりこのかた大海にもたとうべき一切衆生は、無明の暗闇の世界をさまよい流れ、二十五有の迷いの間を、車の輪のめぐるが如くに迷い歩いて、四苦八苦にしばられてやむ時がないから、真実の信楽がない。だから無上の功徳（六字の名号）におあいすることはできず、最も勝れたる清らかな信心を獲得することもできないのである。全て凡夫という者は、微かに表れる善心がないでもないが、常にむらがり起こる貪欲愛着の煩悩をもってその善心を汚し、ささやかな功徳は積むことはあっても、瞋り憎む煩悩の火でその功徳を焼きつくしてしまうのである。だから、頭に火のついたのをはらうが如くあせりあせって善根を積んでも、修行をしても、すべて毒の雑じった善と言われ、うそ偽りの行といわれて、決して真実の業となづけられないのである。この雑毒の善をもってお浄土に行こうとしてもそれはできないことである」

(三)「しかるに十方世界の微塵の数程の衆生は、煩悩の海にただよい、生死の苦海に沈み溺れて、真実の回向心がない。清らかな回向心はないのである」

こうした親鸞の血の叫びは、即ち久遠劫来の暗黒を自分のうちに見出して、自分という者の権威も、価値も粉微塵《こなみじん》に打ち砕かれた慟哭《どうこく》の声である。なげ出された愚禿《ぐとく》の姿である。この深刻なる目覚めこそは、我一人のうちに、一切衆生の罪悪に泣き、煩悩に苦しみ、暗《やみ》から暗に沈んでいく痛ましい姿を自分のうちに見たのである。我々はここに我のこの久遠劫来の我に目覚めて泣かねばならないと共に、一切衆生を見て泣かざるを得ないのである。一人の罪悪に泣く姿こそは一切衆生の罪悪を自己のうちに感ずる姿である。ああ我は一切人類と共に救われない久遠の凡夫であり、浮かばれない永劫の衆生であることを、生死の大海、一切の群生海に見出したのである。

生命の全解放

かくして我は一切衆生と共に永劫に救われない凡夫であり、一切の教育も教化も役に立たないで奈落の底に沈むより外はないのであろうか。しかるに我々はここに、ついに端無《はしな》くも、偉大なる価値の転換に遭遇したのである。見よ、我々はこの全てが打ち破られたどん底に、そこに如来の絶対の大慈大悲の招喚の声に接するではないか。

まことに久遠の仏心、回向の仏心をおいて、どこに真実があろうぞ。そもそも我々の罪悪煩悩の姿も、それが回向されたる絶対の光明なくして、どうして見ることができようぞ。無限の生死海《しょうじかい》こそ、彼の長時永劫の仏心が、その無限の活動を表したもう舞台ではなかったか。見よ、如来は悪人正機とよびたまい、その長時永劫の大慈悲心をば我等無辺の生死海にのみその姿を表したもうのであった。

まことに聖親鸞は「煩悩具足の凡夫・火宅無常の世界は万の事みなもてそらごと・たわごと・真実《まこと》あること無きに、ただ念仏のみぞまことにて在《おわ》します」との全否定のまま、全肯定される念仏の世界に出《い》でたではないか。

我等は長い間、善人たれと教えられ、華やかなる理想の世界を見せつけられ、善人たり得ると自惚《うぬぼ》れ、善人たることを好む結果、外に賢善精進の姿をあらわしつつ内に虚仮を抱いて永遠の暗に自己を偽わろうとしたのである。しかるに我は今や、生命の全解放の世界に出たのである。悪を悪としてなげ出し、虚仮不実の我を如来の前になげ出した所、我を粉微塵に打ちくだかれたその端的の世界に、如来の久遠の生命は恵まれていたのであった。

至心

至心、即ちまごころを我が人格のうちにたずねて、ついに得ることができず、「一切の群生海　無始より已来　乃至今日・今時に至るまで　穢悪汚染にして清浄の心無く　虚仮・諂偽にして真実の心無し」との痛ましき我に当面した親鸞は、

「是を以て　如来、一切苦悩の衆生海を悲憫《ひみん》して　不可思議兆載永劫《ちょうさいようごう》に於て　菩薩の行を行じたまひし時　三業《さんごう》の所修《しょしゅう》　一念・一刹那《いちせつな》も清浄ならざる無く、真心《しんしん》ならざる無し　如来、清浄の真心《しんしん》を以て　円融《えんゆう》・無碍《むげ》・不可思議・不可称《ふかしょう》・不可説《ふかせつ》の至徳《しとく》を成就したまへり

如来の至心《ししん》を以て　諸有《しょう》の一切煩悩・悪業《あくごう》・邪智《じゃち》の群生海《ぐんじょうかい》に回施《えせ》したまへり　則《すなわ》ち是《こ》れ利他《りた》の真心《しんしん》を彰《あらわ》すが故《ゆえ》に　疑蓋《ぎがい》雑《まじ》わること無し　斯の至心は則ち是れ至徳《しとく》の尊号《そんごう》を其の

体と為せるなり」

（島地一二―六八、西二三一、東二二五）

概念の世界、半自力半他力の世界においては、如来は如来であり、煩悩の我は我であった。けれども真実なる如来の勅命に直面した我等の体験をもってすれば、永劫の衆生たる我と、一念一刹那も清浄ならざることなく真心ならざることなき如来とは、一体であったのだ。まことに、我と如来とはこれを切りはなせば、そこには血がながれるのであった。切れば血の出る関係においてのみ、如来はありたもうのであった。久遠劫来、如来は、我が生死の苦海においてのみ、不可思議兆載永劫の修行をましましたのであった。我が煩悩成就の生死の苦海、その無辺の狂乱怒濤の大海を、真一文字に乗りきる大船こそは、如来の弘誓の願船であった。見よ、幾万トンの大船が山なす大波を難なく乗りきるが如く、如来は生死煩悩無明の大海を乗りきりたもうてあるではないか。海なきところ船はない。無明煩悩のなきところ、そこに如来はないのであった。

信楽

我等は、定散自力《じょうさんじりき》の概念の世界に、永遠の信楽《しんぎょう》を求めて失敗し、法爾自然《ほうにじねん》として、真実の信楽なき久遠の凡夫たることに目覚めて、千載悲泣の我を如何ともすることのできないのに絶望した。しかしながら、ここに全く別なる世界は与えられたのであった。信楽とは断じて衆生の心ではなかったのであった。信楽とは実に如来によって信じられていることであった。海の如き如来のみ心は一切群生海を見そなわして、一切の罪悪を御身《おんみ》自ら一身に内観して、無限の大慈悲をもって長時永劫に一切衆生を捨てたまわざる、海の如き、円融無碍満足の信心のみ心であった。

しかもその信じたもうみ心は、我が

「一切凡小一切時の中に　貪愛之心常に能く善心を汚《けが》し　瞋憎《しんぞう》之心常に能く法財を焼く　急作・急修して頭燃《ずねん》を炎《はら》うが如くすれども、衆《すべ》て『雑毒《ぞうどく》・雑修《ざっしゅ》之善《ぜん》』と名《なづ》け　亦『虚仮《こけ》・諂偽《てんぎ》之行』と名く　『真実の業《ごう》』と名けざるなり　此の虚仮・雑毒之善を以て　無量光明土に生《しょう》ぜんと欲す　此れ必ず不可なり」

（島地一二一—七一、西二三五、東二二七）

この心をはなれては、如来の信じたもうみ心はなかったのだ。

「何を以ての故に　正しく如来、菩薩の行を行じたまいし時　三業《さんごう》の所修《しょしゅう》　乃至《ないし》一念《いちねん》・一《いち》刹那《せつな》も　疑蓋雑《ぎがいまじ》わること無きに由りてなり　斯の心は即ち如来の大悲心《だいひしん》なるが故に　必ず報土《ほうど》の正定之因《しょうじょうのいん》と成る　如来、苦悩の群生海を悲憐《ひれん》して　無碍広大《むげこうだい》の浄心を以て　諸有《しょう》海《かい》に回施《えせ》したまえり　是を『利他《りた》真実の信心』と名く」

（島地一二一—七一、西二三五、東二二七）

まことに、如来は、その金剛の浄信を無辺の凡夫衆生のために成就して、直接、この一切の粉砕されたる煩悩成就の無明海にその永劫のみ姿を現わして、我等が信念となりたもうのであった。さればこそ、この他力回向の信心こそは、仏性であり、真実であり、如来であり、唯一絶対の無碍の大道であり、利他真実の永遠の白道《びゃくどう》であった。まことに信楽とは、如来が生《しょう》死《じ》の苦海に生ききって、刻々が死であるところの我等の人格を統一しつつ進みたもう久遠の大慈悲心であり、無限の智慧にてましましたのであった。さればまことに、信楽とは、お身自らを、我が煩悩狂乱の無明の大海に現わしたもうたみ姿であった。

欲生勅命

過去人類は幾度か神に仏にその至誠のこころを回向して、その至誠の上に神仏の慈悲を迎えんとし、その永遠の救済を求めんとした。否、かくしてそこに救いのみ手を得たと信じ、その加護を受け得ると思っていた。然るに、聖親鸞は深刻なる反省のもとに、この半自力半他力の功利的信仰を批判した。そうしてそこに表れたものは、「一切の衆生には断じて真実の回向心はない。清浄の回向心はないのだ」という哀れむべき絶望の自己であった。しかし、そうした絶体絶命の境地にこそ、そこにいわゆる、欲生《よくしょう》の真意義は見出せたのであった。まことに真実の世界に生まれんと欲う心こそは、それは断じて「これ大小、凡聖《ぼんしょう》、定散《じょうさん》、自力の回向にあらず」して、欲生はすなわち回向心であったのだ。まことに、欲生とは如来が一切衆生を招喚したもう勅命であったのだ。ああ、この欲生（かの国に生まれんとおもう心）こそ如来の勅命であったのだ。まことに欲生とは勅命であった。親を呼ぶ声は、親によばれている声であった。如来の呼び声は、罪悪生死のどん底に、久遠の我を抱いて泣く我のうちにとどいていたのだ。そこに聞こえていたのであった。

念仏

一人が救われたとは十方衆生の救われることである。我が救われないでどうして十方衆生が救われよう。生命の全解放、「善もほしからず、念仏にまさる善なきが故に。悪をもおそるべからず、念仏をさまたぐるほどの悪なき故に」善がほしいとて、悪をつつむさもしい心もいらないのだ。悪がおそろしいとて、善人顔をしないでもよかったのだ。善をたのまず、悪に囚われず、一切をなげ出したところに何の重荷があるものか。

「浄土真宗に帰すれども　真実の心はありがたし
虚仮不実《こけふじつ》のわが身にて　清浄《しょうじょう》の心《しん》もさらになし」（島地一一—三九、西六一七、東五〇八）

老年に及んでもなおかくのごとく、赤裸々に自己を見て泣きたもう聖親鸞のみ心、その背景には、直ちに、真実、清浄なる仏心が鮮やかに輝きたもうてあるではないか。定散自力の相対救済の世界や、囚われた聖者の世界では、美しい心のおこった時、役にも立とう、間にも合うだろうけれども、

「悪性《あくしょう》さらにやめがたく　こころは蛇蝎《じゃかつ》のごとくなり
修善《しゅぜん》も雑毒《ぞうどく》なるゆえに　虚仮《こけ》の行とぞなづけたる」

（島地一一─四〇、西六一七、東五〇八）

こんな悲痛な我を見出しては、不安なる虚飾に生きるか、ゴマカシに姿をやつすかであろう。全てをなげ出して、やめがたき悪性を、蛇蝎のような我を、大胆になげ出して、そこに摂取の光悦に涙ぐむ者には、微塵の不安も、飾りも、虚偽も、そうして少しの重荷もないのである。全否定されたそのままが如来によって全肯定せられて、全否定の千載悲泣の涙のままが、永劫消えぬ法悦となるではないか。

如来とは涅槃真如の世界より久遠の仏心が生死大海に来たりたもうことである。如来は真実である。慈悲であり智慧にてましますす。「至心に回向したまえり」とは如来の全体が我に来た

りたもうことである。「弥陀の誓願不思議にたすけられまいらせて往生をばとぐるなりと信じて、念仏申さんとおもいたつこころのおこるとき摂取不捨の利益にあづけしめたもうなり」とは如来のみ心が我に来たって我を救いたもうた姿である。「念仏申さんとおもいたつ心」、この心こそ永劫の如来の大悲が、その与えんと誓いたまいしものの全部を与えたまい、求めんとしたものの全部を与えられた端的の救いである。ああこの念仏申さんとおもいたつ心、そこに、我等の全生命は解放せられ、我等出離の縁なき凡夫は、それがそのまま全肯定の世界に出されたのであった。

まことに大慈大悲の如来がその永遠の姿を生死の苦海になげたまいし姿こそ、五劫兆載《ごこうちょうさい》不可思議永劫の法蔵菩薩であった。法蔵の大願業力は、罪悪生死の凡夫の心中に全的に回向せられて、「念仏」となったのであった。念仏は如来の今日今時、現実の我を呼び、我を救い、我を摂取したまいし大獅子吼であり、勅命であり、親心の名告りである。

我等は名号をおいて何れのところに久遠の仏心にふれ、救いをきくことができようか。まことに、念仏は、唯一絶対の如来のみ声であり、如来の全部であり、私をして如来を知らしめらるる唯一の方便であったのだ。「この至心はすなわちこれ至徳の尊号をその体と為せるなり」。如来の至心も名号をはなれてはない。如来の信楽も名号をはなれてはない。如来の勅命も名号をはなれてはない。救いも報謝も感謝も懺悔も、一切が名号をはなれてはない。

否定の奥底に生まれ出ずる名号は、かくして地上唯一の如来の顕現であり、人間に最後に与えられる無碍の大道である。

「無慚無愧《むざんむぎ》のこの身にて　まことの心はなけれども
弥陀の回向の御名《みな》なれば　功徳は十方にみちたもう」

（島地一一―四〇、西六一七、東五〇九）

この和讃こそ、一応ははじらいながら真実の慚愧なきことを慚愧しつつ、見出すべきまことの心なきままに、彼岸より回向されたる功徳の名号に蘇って、若々しく生ききりたもうた祖聖の生活が鮮やかにうかがわれている。

「私は今生きている」

生きているが故に、喜びもすれば悲しみもする。それをそのままに、名号によって生かされてある。静かに、幸不幸をほんとうに味わいつつ、しかもそれに即して名号に生かされ、幸、不幸を超えて、ほんとうに感謝の生活が与えられる。如来と共なる歩みは刻々の今であって、何時も全ての打ちくだかれた否定の底にのみ、真仏は名号となって顕現したもうのである。

第六章　疑謗を縁として

真実の教法は　人の上に生きて人生の事実となる
真実のみが末通る
真実のみが末通る
真実の正法を力とし
正法を求め　正法を生き
正法のためのみに
我らの一生を捧げて行こう

一　疑謗を縁として

A様
御便り有難うございました。真実のみ救いにあったあなたのお便りは何時も私の胸の底に涙をうるませます。若いあなたが死から生へ、暗黒から光明《こうみょう》に、一途に進んでくださることを嬉しく存じます。新年はただ永遠に生きる者、無上正真の白道を精進する者にとってのみ、無上の意義を存するのであります。この一年をブラブラして何の意義もなく暮らす人もあるでしょう。お金儲けだけに使われる人もあるでしょう。今年は死の悪魔につかれている人もあるでしょう。万人が万人、様々な日暮らしをするでしょうが、はっきりと一筋道を進ませられる私たちこそ真に幸福であります。

A様
あなたは人一倍過去の罪の深かったことを泣いています。そうしてみ仏の御慈悲の深さに徹底していますけれども、世間は罪の深さに泣いている今のあなたをすらまだ冷たい鞭をもってむち打とうとしています。世間の冷たい人たちの仕草が、またしてもあなたを泣かせます。私は、私だけはいつまでもあなたと共に抱きあって泣きたい気が致します。あなたはもう罪に目覚めたのです。底知らぬ罪の深さに戦慄して大悲に救済されたのです。けれども冷たい世間は、その仏の子になったあなたを嘲笑して、「あんな奴が」というのです。あなたはただ涙ぐんで黙っています。そのあなたを尊いと思います。

まことに「われらが身の罪悪の深きほどをも知らず、如来の御恩の高きことをも知らずして、まよえる」我等であります。われらが身の罪悪の深きほどをも知り、如来の御恩の高きことをも知らば、冷たき眼をもって他人を見るには、あまりに価値なき私であります。

A様

他人に謗《そし》られるということは決して、誇ったことではないのであります。悪《わる》かったからこそ、悪ければこそ、他人にも世間にも誹《そし》られるのであります。私どもは誹る人を悪《にく》もうとしますが、他人を悪む前に、悪まれる自分の醜さに気付かなければならないのです。悪まれ誹られた時、私どもは、自分の胸を越えて悪む人のみを見ようとしますが、それは徹底した心の眼が開けないからであります。

A様

けれども誹られた時、ただ自分を見て泣くだけでは自分を知った人ではあっても救われた人ではないのです。冷たい世間に謗られて泣くあなたの胸の裏には、み仏の声は聞こえませんか、聞こえませんか。人はともすれば他人にほめられたり、尊ばれたりする時には有頂天になって、自分を見失って、空虚な自分になってしまいやすいのです。眼が外に走って内なる生命を見失うことはあさましいことであります。

むしろ極悪最下の泥凡夫は、謗られるがままに誹られて、静かにみ名の内に生きて、生命たる如来を見失わずに生きてこそ、一番相応しい生活ではありますまいか。親鸞聖人は「ただ仏恩の深きことを念じて、人倫の嘲りをはじず。もしこの書を見聞せんものは、信順を因となし、疑謗を縁となし、信楽《しんぎょう》を願力にあらわし、妙果を安養にあらわさん」とお教えくださいました。内なる信心、如来による信念を因として、幸運や称讃を御縁によろこべとはおおせられずに、疑いや誹りを縁によろこべとおっしゃいます。

けれどもこの御文の心持ちは決して、「お前たちには信念がないのだ、信仰がないのだ。自分だけの信仰が、お前ら目覚めない者にわかるものか」、こうした大それた自惚《うぬぼ》れから出た高慢であってはならないのです。もっともっと謙虚な、私たった一人が一番の悪人と知れた者には、そんな気持ちは見られないはずなのです。世間の誹り以上な悪人なのです。それがどうしてそんな高い頭が出せましょうぞ。信仰を因に、世間の誹りを縁によろこべとの御意は、罪の深さに目覚めて如来によって生きる者の心の内の風光です。世の中から誹られつつも、内なるよろこびにかえるのです。言いわけもいらなければ、説明もいらない。私のみは無言のまま如来によって歩ませてもらうのです。そしられる中に、泥凡夫《どろぼんぶ》のままが、厳粛なひきしまった気持ちで生きさせてもらうこそ、相応しい嬉しい天地ではありませんか。

A様

私どもはとにかく、「地獄一定《じごくいちじょう》」とはいいつつも、自分を忘れて他人の悪いことばかりに目を注ごうとします。どうしてこれが徹底せる罪悪感でありましょう。悪人ほど自分を高く買おうとします。悪人ほど他人の罪悪を言おうとします。悪人ほど自分を善人と思っています。悪人ほど自分の欠点に気がつきません。悪人ほど自分を物のわかった人間だと思います。だから悪人は他人の忠告を素直に受けたり、教訓に従ったりすることはないのです。昔から「女子と小人」を養い難いものにしていますが、小人は決して他人の親切な忠言などは耳に入らないのです。耳にさからう言葉の内に尊いある物を見出したりすることはできないのです。愚痴深い固意地な妻に亭主が色々と不心得を言っています。妻は一言一言にさからってついには怒ってしまいます。けれどもこれが私どもの心の内なる有様ではありますまいか。人は年寄りになればなるだけ、こうした我慢が強くなり、純なる魂を失えば失うだけ、教えられる資格のない者になって来はしますまいか。どんな悪人でも、どんな悪を働いた人でもきっと心にはまだ言いわけしたい心持ちと、「俺はいいんだ」と不平を言いたい気持ちが残っているそうです。まことに私どもの心を見つめる時、これが久遠の迷執ではありますまいか。

A様

「俺は善いのだ」、この考えは正しくはないのです。これこそ徹底的な悪人の証拠なのです。あなたが如来を信じながらも、世間から嘲笑の的となり、苦しまねばならない時、「俺は正しいのだ」、その高慢さで勢いづけてはなりません。それは如来をはなれた心ではありますまいか。否、私はその「俺は善いのだ」というどうにもならない心を見つめて泣いています。

A様

あなたは、そしられる下からも、このお慈悲を一人でもいいから知らせてあげたいと念じておられます。そうしてそれがあなたの言葉や行になって出て来ます。世間の人は「あんな悪かった奴が」と言ってそしります。けれども一度この道に入った者が、共に法喜を分かちたいとの念願が燃えてくることは当然のことです。報謝ということはでき難いことであります。

報謝せんとする心は尊い心であります。権利義務の冷たい日暮らしから、報謝の生活に変わった時、人は初めて生きたのでしょう。けれども報謝はなかなかできるものではないのです。深い深い自分どもの魂の奥底にふれて行く時、恩の深さがわかれば、わかるだけ、一向に報謝していない、いや一歩も報謝の足の進まないことに気づくのであります。「俺には報謝ができた」との思いはもう堕落した気持ちであります。たとえ親を千里の遠きに背負って高恩を報じても、全く孝行者たる意識のない者こそ、孝の第一義に徹底した人であります。真実の報謝は、つとめつくして、人間の全部を捧げても猶、足らないと思うところに湧いてきます。

A様

ある人は、「報謝どころか、私は私の道を求めることがもっと忙しいことだった」と言いました。私はこの言葉について深く考えさせられました。そうした言葉を使う人が、ではどれだけ忙しく自分の道を求めているだろうか。いや、私たちはよくこの人と同じ言葉を使おうとします。けれどもともすれば、道も求めない閑だらけの自分をこの言葉で胡麻化《ごまか》し、眠れる日暮らしの言いわけにさえしているのです。もし真実にこの言葉通りの方があるならば、それは尊い人なのです。自らの求道を棄てておいて、道を求めつくした者の如く人の御世話に夢中になることは、それは第二義に堕落した日暮らしでありましょうけれども、道を求めることと報謝とは反対の二つの道ではないのです。道を求めて求めて進む者たちの、それ自身の生活が社会に交渉をもつ時、報謝の日暮らしでありまず。報謝しようとする意志のないことと、報謝のできた者だとの二つの考えは、どちらも正しいとは言えないと存じます。つくしてもつくしてもつくしきれないところに、ほんとうの道が開けるのではありますまいか。かくて私どもは報謝しなければなりません。そして一生かかってもついに報謝はできないのです。

A様

一人の人間が信仰に入ることは人間最後の解決であります。至高のレベルに入ることであります。一人の人間に仏が信じられた、一人の人間に仏と一体なる自覚が出来て永遠に生きる道を体験せしめられるという事実は、あまりに広大な荘厳な事実です。人間最後の解決であり、最高の智慧にふれた者であります。従ってそう易々と、誰も彼もが、活動写真の見物のようにゾロゾロと入り得るものでありましょうか。

まことに信仰は瓦礫を変じて金《こがね》となすものであります。信仰生活に入るためには如何なる高い価が支払われてもいいのです。どんなものを以てしても信仰を買うべき尊いものはないのです。自覚なさいませ。

A様
救済の体験は、安価なる楽天家にはありません。「仏も神もいらないはずよ」、彼はあまりに泡沫のような幸福の持ち主です。「彼の内に仏のみ名が生まれないはずよ」、彼は人生の苦をあまりに知らずに生きてきた。人間の内に潜む苦悩の真相を見る智慧がないのだ。「救済もいらないはずよ」、彼はあまりに彼を善人と考えている。
阿弥陀仏は人間苦の内に生まれたもうた煩悩泥中の蓮にてまします。血みどろな流転輪廻の宿業の内に招喚の叫びをあげたもうたのだ。されば、人間苦の血みどろな、溶鉱炉の中に入れられて煮られた時、そこに雄々しくも、彼は炎王光仏として燃え上がりたまい、地獄の火中に招喚の勅命たる名号の叫びをあげたもうのです。
人間は一度、底ぬけの苦悩をなめてきた方がいいのだ。血みどろの自分を見出してきた方がいいのだ。あなたは今も、やはり泣いています。真実金剛の信念は、その貴方の胸の内に試されています。淡い法悦も消えた、描いていた信後の生活も消えた。ヒシヒシとせまる涙を抱いて、どすぐろいあなた自身を見つめて、そこにあなたの魂の故郷は見出されますか。念仏はありますか。合掌することができますか。かくて誇る者よりも、誹られる人の方が苦しくても幸福であります。順逆共に御縁であります。

A様

目覚めない人間が千人集まってもそれは要するに烏合の衆であります。私どもも烏合の衆の一人であります。けれども如来大悲は痛ましいほどのこの無自覚を知らせてくださったのです。浅薄なものの考え方をする人は、悪人が救われることを嘲笑《わら》います。けれども悪人一人が救われることは善人千人の救いよりも社会を浄化します。悪人こそ救われて、善人にまで及ぶのです。如来は悪人正機と呼びたもうてあります。私どもは思いをひそめて如来慈涙の根源に遡らなくてはなりません。そこには絶対の宿業力を見ます。絶対の宿業力の内に燃えたもう金剛力を見ます。まことに如来と私とは二つに分裂してはいなかったのです。二つのままが一つになって一つの道をつきすすんでいたのです。

世の中の平凡人があなたを見て嘲笑うでしょう。けれども平凡人は、彼らの仲間から一人の先駆者が出ようとする時、暴力によってでも、それをひきとめようとします。けれどもとどまってはならないのです。いい加減な日暮らしに死んでいく人々のために真実の足どりをくくられてはならないのです。あなたはあなたの道を精進なさいませ。金剛力はあなたのものではありませんか。高ぶらず、てらわず、高あがりせず、しかも動かぬ信念の一道こそ、あなたの足下に開けています。

私はあなたにこの一文を捧げます。時は経つことがあまりに早い。今日一日の充実こそやがて永遠への充実である。

二　大悲無倦常照我

極重悪人唯称仏
我亦在彼摂取中
煩悩障眼雖不見
大悲無倦常照我　（「正信偈」）

「煩悩にまなこさえられて　摂取《せっしゅ》の光明みざれども
大悲ものうきことなくて　つねにわが身をてらすなり」
（島地一一一三〇、西五九五、東四九七）

無常の前に

T様

あなたは長い間悩みつづけられました。生死巌頭に立てる自分を見つめて、暗い暗い業道を輪廻する自分を見つめて、ただただ光ほしさに精進なさいました。よくもあれだけ真剣になれたことだと思われるほど、真一文字に求道なさいました。「私はただ呼吸をつづけているのです。ただ呼吸をつづけている者に何の価値があろう」とあなたは言いました。そうです、生きると言いつつ、一歩ずつ墓場に急いでいるのです。万人皆死刑囚なのです。墓場の手前で、無常の名刀でばっさりやられて、暗い穴にころりとほうりこまれるのです。一歩一歩がこの死刑に墓にと……、それを見つめた者がどうしてじっとしていられましょう。

諸行無常ということが、単に「何でもみな変わることなのだ」と言っていられる時には、それは単なる常識であって、まだ我等の生活の中に関係をもって生きてきたのではありません。無常ということが私の老病死であることにさめた時、どうしてじっとしていられましょうぞ。

老、病、死、それを見出した時、我も人生も灰色な無価値のものになってしまいます。人生には色々なむずかしい問題があり、そうしてそれを解決するむずかしい学問や方法があります。しかし一度この死にさめた時、何を聞かされても「それだけのことか」と言いたくなります。何々問題、何々解放、みな結構です。しかしそれは遠い遠い里の夕立や雷にすぎないような気がして来ます。

まことに無常にさめる時は、人生のあらゆる問題を「無価値」の中に投げ入れてしまいます。

我々はただ漫然と、富める者は幸福だ、貧しい者は不幸だ、地位のある者は幸福だ、名誉のある者は幸福だ、出世しない者は不幸だ、衣食住と性と名誉と地位と、それを得た時、幸福は無条件に待っており、それらのない所には不幸が待っているという、簡単な独断的な盲信を頭の中にたたきこまれて生きて来ました。それはほとんど全ての人類の先天的な信条と言ってもいいと思われるほど、深く食い入ったものであります。

しかしその常識的な公式がもう一度、厳粛な価値批判を受けねばならない時が来たならば、我等は富貴を望み、名利を恨みつつも、その最高なるものを見せつけられても、「これが人生のすべてなのか」ともの足りなく淋しく感じないではいられません。

社会人類のためとてなされていく社会教育、政治、交通、文化開発等々の運動が、それをなさねばならないことを思いつつも、ついに我等の第一義的の問題には一寸も関係がない、本質的には何等の幸福も与えてくれないことを考える時、あなたをして、

「先生、私はもう食うの食わない、富むの貧しいの、地位だ名誉だ、社会だの解放だの、哲学だの科学だの……そんなもののすべてが手の届かぬ世界に私は悩みはじめたのです。私はここに、無限の深さを持った闇それ自体である私が、懸命に生きぬいていこうとしているのにぶちあたったのです。無限の過去と、永遠の未来を闇に輪廻する私が、最後のあがきをあがいているのです。その前にはもう、世のあらゆる問題も学問も道徳も無意味なるものとして崩れた

にすぎません」とあなたをして言わしめたのです。あなたはそれは「先生がしたのだ」と言いますが、私がしたのではないのです。あなた自体が覚めたのです。そうしてそれは、一切人が、自己に忠実である限り、通過しなければならない問題でなくてはなりません。

永遠への思慕

しかし無常に醒めたということは、それ自体が意義のあることではありません。単に平面的に「人生は幸福なところだ。感謝せよ。愛に生きよ。人生は楽園だ」と、人生を肯定している人の生活が如何にも常識的で浅薄でつまらないと共に、又単に人生を否定して、「人生はつまらぬ所だ、無常だ」と消極的になったことも、また何等の価値のないことであります。

無常観が意義があるのは、いい加減な浅薄さに腰かけないで、もっと深い価値ある生活を願うということにあるのであります。我等の魂はそれがほんの一瞬であっても、無常の前に我等の生活の無価値を知らされて、戦慄せしめられたのであります。ここに我等は必然に「永遠なるもの」にと願生しようとするのであります。

釈尊が、王宮をすて妻子をすて名利をすてて、求道の旅にのぼられたのもこの心にもとづくものでありました。そうしてそこに開けてきたのが、涅槃・浄土・彼岸・如来・仏性・大信海というような言葉で表された「永遠なるもの」でありました。

最後の我執

T様

あなたは又この無常観から、あなた自体をもっと清算されました。

「我等が、我等を善人の如く思惟し、強者の如く自惚《うぬぼ》れ、賢者の如く高あがりするのは、畢竟この無常を知らないからであります。私は今、私自体を見つめた時、我等のいわゆる修養というものの浅薄さがわかってきました。善が何です。悪が何です。学識が何です。一切が亡びゆく者の所作ではないか。一切が煩悩である。悩みであります。個々の行為よりも、我々の全体が滅亡への全体にすぎないのです」

怒り腹だつ心、貪欲の心、愚痴の心、嫉妬する心、高慢な心……そんな悪い心を見ないでもありません。そうした心が私どもの生活を傷つけていることがわかった時、それを征服して善い心になろうとします。それがいわゆる修養であります。悪い心を善い心で征服しようとするのであります。なさねばならないことでもあります。

しかしもし自覚が一歩深まってきますと、一切の煩悩は、それがきれぎれに存在するのではなくて、それらがある根本的なものから生まれていることがわかり、その根強さが知られてきますと、もうその一つ一つの末梢を繕うていることのいたずらなることを感じます。我は刻々に滅ぼされ傷つけられています。もういわゆる修養によって救われそうにもありません。

ここにおいて我等は宗教の世界に走ろうとします。あなたは言いました。

「私はここに何か偉大なるものを信ぜずにはいられなくなりました。あの親鸞聖人の自信に満ちた力強い声に心を引かれずにはいられなかったのです。あの『歎異抄』の『念仏者は無碍の一道なり。そのいわれいかんとなれば、信心の行者には天神地祇《てんじんちぎ》も敬伏《きょうぶく》し、魔界外道も障碍することなし、罪悪も業報を感ずること能《あた》わず、諸善も及ぶことなきゆえにと云々』。何という力強い叫びでしょうか。この無碍の一道に生きるものにとっては、もちろん、無常におののく私のたましいも救われることでございましょう。そう思った私はじっとしていられません。帰命尽十方無碍光如来！　無量寿、無量光、何という私の心をそそる言葉でしょう。私は懸命でした。絶えず滅ぼされようとする自我は、ここに最後の大努力にと大勇猛心をふるいおこしました」「私は死物狂いにつかもうとするのでありました」

このあなたの告白はまことに忠実にそして面白く表されてあります。そうです。それこそ自分の正体を見つめた自我の最後の大努力であります。亡《ほろ》ぼされようとする自我は、どこまでもその本来の我執を貫いて行こうとします。これこそいわゆる、二十願の世界であります。何でもいいのです。この自我が亡ばないために、強い我執の精一杯を出して、最も功利的に動きます。何でもいい、この最後のもがきから出ようとします。しかしその時です、如来の真のみ心は届いてきます。あなたには如来の招喚の勅命が聞こえてきたのです。

信の世界に

諸行無常にさめて無価値なる自己を知ったあなたは、もっと真の価値の世界を知ろうとしたのです。もっと真の価値ある世界とは、彼岸であり如来であることが知れました。あなたはついに如来の大悲心を知りました。そうすると不思議にも、自我をどこまでも貫こうとした心は合掌の心と変わってくるのでありました。そうしてあの勇猛な心は失われて、敬虔な合掌の心と変わっているのであります。

まことに救われようとしてもがいた私が、「自身は現に罪悪生死の凡夫、曠劫よりこのかた、常に没し、常に流転して、出離の縁あることなし」と深く信ずる天地は、救われないままが大悲のみ手に救われて、自分の罪障を認めつつ、これに対して何等の力をも持たないことを知り、ひとえに如来の摂取の光に生きる安らかな天地でありました。

「しかし不思議です。一度如来の久遠の本願にぶちあたりますと、私は救われているのでありました。私は深くして底なき深淵に私が沈むように思っていたのですが、私自身がその底なき暗黒の淵そのものだったのです。私は充たされた不安のない心になっていたのでありました」

それがあなたの如来を信じたる心のありのままです。まことに我等は信ずるということを概念化して考え、条件づけて考える結果、如来と我とを結ぶに信心をもってしようとします。我と如来と信心と、言葉は三つありますけれども、如来と我とを外にして別に信心があるのではなかったのです。如来と我とが一体にとけたる天地が信心であったのです。

摂取の中に

「極重悪人は唯仏を称すべし
我も亦彼の摂取の中に在れども
煩悩眼を障《さ》えて見たてまつらずと雖も
大悲倦きこと無くして常に我を照らしたもうといえり」

（島地一〇—七、西二〇七、東二〇七）

これは「正信偈」にあらわされた源信和尚のみ心の一節であります。何というしっとりとした味わいでありましょう。極重悪人とは、聖者源信の自覚内省の言葉であります。如来の前に一切の権威を失える、無価値なるものの自己告白であります。この極重悪人こそ、大悲無倦常照我……大悲の摂取のみ手の中にある我なのであります。我慢が生きるのではなくて、如来の生きたもう世界であります。

南無は「まなこ」である。心に開くまなこだと言います。まことにまなこに違いありません。しかし我等の自覚において、はたしてまなこの開かれたのを感じましょうか。むしろ久遠に眼の開かない自分を知って来るのです。今まで何でも見えると思っていた眼がだんだんあてにならなくなって、ついには尊いもの清いものに向かってはまったく無知である私がわかってくるのではないか。その煩悩に眼をさえられていることを知らされてくることこそ、仏智に照らされて我を知った姿でありましょう。ここに我等は、私の無知であることを知りつつ、しかも如来の摂取の力強さに安住するのであります。

今こそ、我等の自慢の意地張りを恥じつつ、大悲の胸に合掌し、摂取の心光に全我を托しきって、一寸先がわからないままに、あるがままを生きていきます。

生活の内容

我等は一度無常なるこの世界を無価値だと否定しました。そして彼岸にのみ、真の価値、永遠なるものを認めました。そうして無量寿、無量光なる如来の大悲に接しました。そうして如来回向の南無阿弥陀仏と一体になされているのでありました。

しかし我等は依然として生死界にいます。依然として無常なる世界に住みつつ、もう我等は、もとの如く否定のみにとどまらず、まして浅薄なる肯定にもいないで、否定されたままに、大きな肯定を念仏の上に受け取りました。

「信心とは実に如来の本願、如来の智慧、如来の慈悲、即ち如来の大生命の回向でありました。故に聖人は大胆に仏性をこの信において肯定されました。まことに私は如来の全てに生かされる私でありました。生死にいつつ生死を超え、無常にいつつ無常を超えて、永遠なるものを現実から生きさせてもらうのでありました」

それがあなたの言葉でありました。彼岸は永遠に現実の生死無常界を超えつつ、常に現実にはたらきかけているのでありました。大悲無倦常照我……の一句、これほどぴたっとした言葉はありません。

我等は今や、無価値として棄てた一切の世間の問題を、この腹で抱いていき、見なおしていきましょう。それはこの信にとけて、はじめて無価値ならぬ生活の内容になるでありましょう。生死即涅槃、煩悩即菩提、差別即平等、等とあらわされた世界も、段々と味わえてきましょう。

三　絶望を超えて

△△様

あなたはついに如来の大悲の懐にかえりました。あなたの御手紙を受け取った時、私は自然に眼が熱くなるのを感じました。長い長いあなたの苦悶を知っていますので、今日のあなたの喜びのどんなに深いものであるかをも知ることができます。

△△様

私はあなたが私を冷たい人間であると思ってくださることを覚悟して、あれだけ力にしてくだされ、あれだけ慕ってくださるのに、冷たく突き放してしまいました。今こそその本心を明かさねばなりません。私は今こそ、あなたと心から語り得ると存じます。あなたのお身の上、それは言葉にも筆にもつくされない惨めな事実でございます。その全部の告白を聞きました時、どんなに御同情申し上げたことでございましょう。

人の世は永久に「生死《しょうじ》の苦海」でございます。古い時代には古い形で、新しい時代には新しい形で、大地は永遠に「苦」そのものでございます。あなたにはあなた自身の苦悩が生まれ出る時から用意されてありました。涙さえ枯れ果てたあなたは、それでもその苦の中に幸福を求めようとしました。しかし我等は幸福を求めようとしては、より深い苦悩へと足を入れていることを知りません。あなたの現実には、幸福を求めれば求めるだけ、より大きな怒濤《どとう》が逆巻《さかま》いてきました。荒れ狂う大波にもまれて今にも一呑みにされそうな船のように、あなたは、より深い苦悩へと沈んで行こうとするあなた自身に、驚愕されたのでありました。

　私はその時あなたに会いました。あなたは、ここに全くちがった方法によって生きられる世界のあることを知りました。宗教の世界がそれでありました。あなたは真剣に求道なさいました。如来のみ救いの如何に広大であるかということも、仏教のみ教えの如何に深いものであるかということも、そしてあなたは感激のあまり泣き狂うたこともありました。

　しかし、しかし、あなたは、最後に如来を力にして、要するに幸福になろうとする功利的な考え方を捨てることの出来ない久遠の我執を暴露してしまいました。あなただけではありません。真実の道を求める者の全てが一度、突破しなければならない一線に立ったのです。功利主義を持つことは人間の全てが共通であります。しかも純粋な「信」の世界では微塵の功利心も許されないのであります。

　あなたは私に言いました。

「私は先生だけが力でございます。先生さえいてくださったら私は幸福です。真に語ることができるのは先生だけです」

私はあなたに同情します。いや、同情するという言葉がすでにあてはまりません。同感？それでもいけない。あなたの苦しみがそのまま私の苦しみでさえあります。人間は何故に共鳴しなければならないのか、この他の人の苦に同感する心のなくならない間、私自身の苦悩はこれを全部抹殺することができたとしても、私の住む世界は苦海でしかありません。

しかし、同情申しつつも、あなたのためには私と一体の気でも、私にとっては机一つが何千里の隔りに感ぜられることさえありました。それはいったい何だったでしょう。私はあなたが、私をさえ、あなたの幸福のために杖にしようとしていなさるのを感じたからであります。

幸福を求める心と、真実の道を歩むこととは、全く異なった世界であることがわからないのです。あなたは幸福を求めて、より苦悩に陥っていくことは知りつくしていながら、再びこれを、くり返そうとされたのです。我等はともすればこの誤りに陥ります。限りなく真実を求めるかわりに、幸福を求めます。もとより深い世界ではこの二つは一致することでありましょうけれど、真実生活の中に幸福はあっても、幸福を求めるために、真実生活を方便化しようとする時、大きなまちがいがひそんでいます。

私がただ、あなたの苦しい淋しい人生の旅のよい同情者であるだけでは、私は淋しいと思わずにはいられませんでした。私は唯一の同情者として慕い寄られるあなたを無情らしく突き放しました。そしてあなたを孤独者に突き落としました。

我等がもし、真剣に真実道を求めるならば、必ず一度立たねばならない一線がある。それは絶望の一線である。

法蔵の願海、南無阿弥陀仏の大信海は、絶望の一線のこちらにはない。あなたは、この一線をのぞきつつ、またしてもまたしても人間の慰めの世界に逆もどりして、その苦悩を一時的に誤魔化そうとなさる。私はいつからか、あなたの安価な気安めのお相手になっていたのです。なぜならば、私は決してみ法《のり》をあなたに求められなかった。如来を聞くというよりは、私個人さえいたらよかったのです。あなたは絶望の一線を越えて、その彼方に待ちたもう大悲のみ胸にかえろうとはせずに、またしてもまたしても、私の胸にかえって、人生を肯定しようとなさる。

先哲は、右手に梅、左手に桜、両手に花では、どちらも楽しめない、一方を棄てよ、と教えました。

人生は苦なり……………………（苦諦《くたい》）

その苦しみは煩悩より生ずる……（集諦《じったい》）

この釈尊の宣言は、人生生活の全的否定でありました。人生を否定しない者にどうして彼岸がわかりましょう。あなたは人間と如来と両方を得ようとせられたのです。我等は一度、人生という梅を「苦なり」と棄てねばなりません。如来は絶望の彼岸から大悲のみ手を我等の上にのばしたもう。

愛すればこそ、私はあなたを突き放しました。この一線を越えさせるために、涙してあなたを苦悩の中にかえらせせました。

誰一人いない無人空迥《むにんくこう》の荒野、前に火の河と水の河がある。後からも横からも群賊悪獣がおしよせる。火と水との間に四五寸の白道《びゃくどう》がある。仏もいない、善知識もいない。ただひとり。我、今、回《かえ》るともまた死せん、去《ゆ》くともまた死せん、住《とど》まるともまた死せん……絶望！　これが即ち善導の見たる人生であった。求道過程であった。

あなたは雄々しくもその最後の一線に立ちました。

世間虚仮　唯仏是真　――聖徳太子――

「先生！　私は心から先生にお礼を申さねばなりません。今こそ先生の真意を知らせて頂きました。南無阿弥陀仏。

私は先生を何という鋭い、そして冷淡な無慈悲なお方かとお恨み致しました。何という情い私なのでございましょう。先生は私の命の綱である。先生がいてくださるから生き甲斐があると、先生の御同情にすがって、甘えていようとしている間に、大切なものを見失っていたのでございます。それは私自身の業苦を先生にまで負わせて、ちっとでも楽になろうとする恐ろしい心にすぎなかったのでございました。

私はただ一時の麻酔のために先生を利用していたのに過ぎませんでした。何という不純な私なのでございましょう。いつまでもいつまでも私が如来を真に知り得ないで、人を呪い、世を悲しみ、幽霊のような生活を続けていた所以でございます。

しかし、先生の冷たいお仕打ちから、私は『たった独り』の世界に立たねばならなかったのです。けれどもその苦しい淋しいたった独りの世界の次には、大きなみ手が待っていてくださいました。

「煩悩具足の凡夫・火宅無常の世界は万の事みなもてそらごと・たわごと・真実《まこと》あること

無きに、ただ念仏のみぞまことにて在《おわ》します」

幾度も聞かされたこの聖句を、はじめてしみじみと味わわせて頂くことができました。（島地二三―一三、西八五四、東六三九）

私は根本的に間違っていました。

しかし先生、不思議でございます。今まで尊くもお慕い申した先生が、今までとは全くちがったお相《すがた》で私の世界に生きてくださいました。先生こそ、『あの道をいけよ』と教えてくださる善知識だったのでございます。今まで長い間お聞かせくださったみ教えが一度にわかってきました。そして聞こえなかった如来のみ声が、はっきりと聞こえてきます。私は今まで求道だと思いつつ、求道ではなくて、同情の袂の下に人生を逃避しようとしていたのでございます。どんなにかあさましい奴だとお思いくださったことだと存じます。

私は先生に突きとばされて、たった独り泣きました。しかしそのたった独りの行き詰まった私こそ、如来の大悲の眼に映ずる私だったのでございます。

私はもう、感傷的にぼんやり立ってる私でございません。如来のみ胸に生きる、白道を歩ませて頂く私でございます。私はついに私から逃げることができなかったのです。それと共に如来から逃げることができなかったのです。私は私の全部を背負って立たせていただきます。そして心から先生のお慈悲を感謝いたします」

これがあなたのみ心でありました。私は心から有難さを感じました。あなたはついに法蔵願海に摂取されたのでありました。

「汝一心正念にして直ちに来《きた》れ、我《われよ》能く汝を護らん、衆《すべ》て水火之難《すいかのなん》に堕《だ》することを畏《おそ》れざれ」（島地一二―六三、西二二四、東二二〇）

彼岸の教勅《きょうちょく》はあなたの心にひびきました。あなたは一切と手を切って、まともに如来の大悲の前に立ったのです。そうして一切の絶望を越えて、真に生きる道を発見せしめられたのであります。

「私のこの苦悩は誰の仕業でもない。皆私自身の業なのです」とは言いつつも、実際生活になるとすぐに、この言葉を裏切って、他に責任を転じて、他人を悪《にく》み、呪い、恨むのが私どもの常なのです。しかし如来の大悲は、信の世界において完全に私のものを私に引き受けねばならない正しい智慧光を送ります。

あなたの周囲の者が、不道徳・破倫・堕落・無慈悲の仕打ちをあなたに送りました。それをあなたは長い間、あなたに価するものであると考えないで、自分だけを祭りあげて、周囲の者を悪《にく》んでいました。

親鸞聖人は、山伏弁円の上に自分を見出されたのです。宿を貸さない左衛門の上に我が宿業を感得されたのであります。私あっての周囲なのです。私の業報が私の淋しい悲しい境遇を引きよせるのです。

しかしそうしたことは、語らない先に、あなたによって完全に解決されていました。

「私は周囲をせめてばかりいました。今になって考えます時、お恥ずかしくてなりません。天地に合掌してつくづく私の過去を考えます時、私はもっとひどい目にあっていてもよかったのです。周囲の人たちの平和を破り、人々を自暴にさせ、鬼にし、不道徳にし、冷たくしたのは皆、私自身であったのです。久遠劫来の私の業報は、こうして私の上に、剣となり、火炎となり、氷となって現われて来ていたのです。

私は何ものにも感謝することを忘れていました。私は親切を受けることだけを当然だと思い、その反面をば不当なことだと考えていました。私には他人様に同情したり、理解したりする心がちっともなく、何でも悪い所ばかり見ていました。父親が、酒や芸者に狂うことでも、なぜあんなにしなければならなくなったのか、それを考えることなく責めてばかりいました。

法蔵菩薩は私より先に私の受くべき一切の業苦を受けて、私を抱きしめて立っていてくださったのです。『大悲おどろいて火宅の門に入る』の聖語、心からありがたくいただきます。大悲のみ心にかえる時、私はどんな業苦も受けさせて頂かねばなりません。禍福ともに私の受くべきものが私に来ていたのでございます。

ああ、人生は厳粛そのものでございます。私は今こそ、細々ながらこの業苦の中に生きることの喜びを感得させて頂きます。私は四方八方におわびしなければおれない心がします。打ちのめされ、斬りくずされても、それに価する私です。しかしそうした眼を与えられてから、人生を見かえします時、そこには限りなきお恵みが満ちていました。如来は先生をお恵みくださいました。私の周囲は全てこれ、私に目覚めよとの施設で満ちていたのでございます。今日一日の与えられた私自身を使いきらせていただくお仕事、三度三度のお食事……全ての中にお恵みを感じます。私は今こそ笑って生きさせて頂きます」

一度この世を捨てて、大悲にかえれ！　絶望の一線を越えて、大願海に直入せよ！　而して再び人生にかえれ！　捨てた人生が園林遊戯地《おんりんゆげち》として生きて来る苦しかった人生が、如来の生きます楽しい道場となる

「大願海のうちには　煩悩のなみこそなかりけれ
　弘誓のふねにのりぬれば　大悲の風にまかせたり」
「超世《ちょうせ》の悲願ききしより　われらは生死《しょうじ》の凡夫《ぼんぶ》かは
　有漏《うろ》の穢身《えしん》はかわらねど　こころは浄土にあそぶなり」（帖外和讃）（島地一一―四三）

如来に救われた阿闍世王《あじゃせ》は、「如来の御用にたち、苦しむ衆生を救うことができるなら、永劫地獄の火に焼かれてもいといません」と叫びました。あなたは今、一切の業報を受け取って、雄々しくも苦に生きかえりました。

動かないものには、他力も自力もありません。我等は単なるセンチメンタリズムから出て、意志の世界に動かねばなりません。人間苦のただ中に、一切を忍従精進しつつ、不滅の光を把持して生きていく今日の現実生活の動きの中にのみ、法蔵菩薩の「仮令《たとい》、身を諸の苦毒の中に止《お》くとも、我行は精進にして、忍んで終《つい》に悔《く》いじ」と誓いたまいし法蔵魂は生きてましますのであります。

小さき智慧をひきちぎれ、小さき善を捨てて来よ、小さき徳を捨てて来よ。
一切をひき破れ！　而して絶望の丘に立て！　その絶望の丘をも越えよ、
そこに広大難思の法蔵願海がある。

「万の事みなもてそらごと・たわごと・真実《まこと》あること無きに、ただ念仏のみぞまことにて在《おわ》します」　南無阿弥陀仏

第七章　試練の中で

一九二三年、住岡夜晃は大家族と共に広島で正月を迎え、『光明』に「念願に生きて永劫の彼方へ」と題して、苦悩と新たな決意を述べます。その後の五年間、彼は東京より朝鮮半島まで東奔西走。各地に同胞が生まれ、真宗光明団は支部を設けて、団としての基礎ができます。この間に、夜晃は二歳の長女と父を失うなど厳しい現実の中で、一九二七年、創設十周年大会を迎えます。この章は、これらの出来事について語られているものです。

（編集委員会補記）

一　念願に生きて永劫の彼方へ

三つの問

「私は一体どうしたらいいのだろうか」

「私は一体どうなるのだろうか」

「私は一体この通りを続けていていいのだろうか」

心の中に問うてみる。

深く深く考えてみる。

私は敬愛する私の同胞たちに、この簡単なわかりきった問題を捧げて共に考察を進めていく。

昨年の終わりにこの容易《わかり》きった問題が未解決のまま貴方の頭の内に残ってはいなかったか。

そうして年頭、今朝まで頭の奥にこの問題がこびりついてはいないか。

この問題が解決されてない以上、人間は一個の魂の亡んだ亡者であります。

この問題の答えを求める前に、もっと考えてみなくてはならないことがある。

一、人としての価値はどこから生まれるのか。
「生まれがたき人間界に生まれて、馬でもない、牛でもない、人間として生きていることが有難くはないか」
さらに声高く権威を以て
不退、必定の菩薩の誕生！
不退、必定の菩薩の産声！
長い陣痛はあったけれど、
今は聞こえる！　南無阿弥陀仏！

立て！　念仏の子。

働け！　必定の菩薩。

この行者に向かって西方岸上に声あり。

「我よく爾を護らん」

私はここまで書いて思わず合掌する。

二、我とは何ぞや。

自分を考えてみる者は尊い。

さらに自分を知る者は尊い。

死ぬこの身に死なない方法はないか。

この断ちがたき煩悩を始末する方法はないか。

「弥陀の本願力に乗託して、救いに入れよ。そこに一切の解決がある」


結論。たった一つの断案。

貧しき中に立ち上がれ。

悲しき涙の上に立ち上がれ。


「人事を尽くして天命を待つ」

貧しくて食うに困るも面白かろう。

愛別離苦、会うて別れる杯もとろう。

逆境のどん底にも笑って立とう。

人が斬るなら斬られもしよう。

唯、忍、唯忍、唯唯忍。

み仏はいかなる苦悩の底にも立ち上がらしめたもう。
立ち上がって進む勇猛精進の姿こそ、入正定聚、必定の菩薩の姿ではないか。

このまま続けて、このまま続けて！
念願に生きて永劫の彼方へ。

二　亡き哲子の写真を抱いて

天を仰いで泣きます。地に伏して泣きます。いいえ泣く涙も流れません。一切の哲学も理論も善も悪も誇りも希望も失われてしまって、木の葉が落ちてしまった冬木立のような、苦楽さえ見分けのつかぬ沈みきった世界、生まれてこんな世界を見せつけられたことがあるだろうか。

哲子よ。哲子は真に子であった。皆の可愛い子であった。一家の者の中心はお前であった。泣いても笑っても、立っても、歩いても哲子の一挙手一投足は一家中の騒動の種であった。家庭の光、家庭の宝、一家幸福の鍵を握っていたのは哲子である。お前は叱られた味も知らねば冷たさの味もわからない。純潔と天真と自由との性質が日々に引き出されてあった。講演から帰る度に如何に私の胸がおどったろう。帰った度にお前はお利口になっていた。それが、私の何よりの希望であり、幸福であった。原稿用紙を書き散らしたり、それすら私にはこよなき嬉しさであった。おお哲子、お前は私を真に慰めもし、喜ばせもしたが、私は旅から旅に流れ歩いて、お前を真に愛した日が何日あろうぞ……。

「お父さま。お父さま。何を悲しみあそばすの。なんでそんなに泣きますの。諸行無常とか、一切空とか、生老病死、愛別離苦、独生独死独去独来、いつも父ちゃんが言っていなさる事なのです……親も子も、妻も夫も、兄弟も、家も黄金も、医者も、薬も、学問、道理、哲学、肉体、一切すべてが間に合わない。そんな世界があることを、今こそはっきり父ちゃんに哲子は教えて消えますよ。消えていっても父ちゃんよ。真の哲子は消えません。いつもいつも父ちゃんについて離れず、いつまでも、悲しい日には慰めます。もしも父ちゃんが悪道に踏み込む日には清めます。もしも父ちゃんが懈《な》怠《ま》ける日には、私が、背後から勢いを付けてあげます。父ちゃんよ、哲子は父ちゃんの一生を、尊い尊い一生を高めるためのお使いに生まれて来ました。御父様、お泣きなさるな、お父さま」

未曾有の大説法、無言の大説法、三十二歳の一凡夫が、これほど大きな説法を今まで一度も受けたことがあったろうか……。

子を失った親を見て、同情もし、慰めもした気でいた。何という恥ずかしいことであろう。いっさいの同胞に謹んでお許しを請わねばなりません。どうしてあんななまぬるい気持ちが同情や慰めであったろうぞ。哲子は逝ったけれども、私に真の知恵を与えてくれた。地上の寂しさ、人の身のはかなさ、苦しさ、涙の底、人生の根底はここにあるのか。

もし、お前を取り返しのつかない事にしてしまったその原因を問われたら、それはああ「父なる私の罪」だと答える外はない。ああ私はこの罪悪をどうしよう。たといこの身が八つ裂きにされても永遠に消えぬこの罪悪、罪なき哲子が死んで罪悪の父が生きている。私は我を見詰めて戦慄する。避けられもせず、反《そ》れられもせず、自暴も起こさず、責任逃避もしない、罪なる父は、罪悪を負うて光の前に合掌して懺悔と感謝の涙、滂沱《ぼうだ》として流る。悲痛のどん底に沈んでは、安価な妥協も間に合わない。いい加減な戯論も役にたたない。よう死んでくれた。ようこそ覚ましてくれた。残された父は何という惨めさだろう。この度ほどの鉄鎚《てっつい》が過去に一度でもあったろうか。よう死んでくれた。汝の死が犬死ではない。汝を通じて尊い国が見える。地に伏して、光を仰ぐ。罪の父の一生はここにまた新生涯の一ページが始まる。私はただ念仏する。喪にこもって深まりゆく寂しさの中にただ念仏している。

三　父の遺せる一金七拾弐円也

父勘之丞は地上のいっさいを果たして、ついに永遠の浄土へ還ってしまった。哀愁のうちに喪にこもることすでに二週間、私の心は暗かった。追えども追えども慈父は永遠にましまさず、語れども語れども遂に答えられない。写真と遺骨、地にある者は愛別離苦の凡情に囚われて涯なく暗い。ただ黙して父のありし日を憶う。父は一生貧しかった。七人の子供の教育のために、働いても働いても借金をした。晩年私と一緒に広島市に住むこと五年間、その間も貧しい私が、光明団経営のために、苦しい苦しい財政の中に立っているので、物質で父を幸福にすることはできなかった。それを求める父でもなかった。本部員たちと一緒に麦の御飯も合掌して食べた。父は信仰の人であり、念仏の人であった。求道をはなれては、如来をはなれては、父の一生はなかった。如来に救われ、如来に生きてこの世から生の一歩一歩が永遠への白道上の歩みであった。如来にあい、み教えにあい、救われたことをこの上もなく有難く感謝して暮らした。「日本一の幸せものだ」。その自覚が父の全体に生きた。いかなる次から次の人間苦も、父自身の心におこる様々な動きも、父のこの金剛の信念をどうすることもできず、湧き出でるよろこびと輝きを奪うことは出来なかった。父には如来をおいては生きるも死ぬもなかった。如来によってこのままが救われていく。そこにこざかしい凡小のはからいはすべてなく、全く如来の前には無我であった。そして如来によって現実の全体が生きていた。念仏も自然であった。求道も、法悦も、生活も、いっさいが自然であった。

私はいつまでも悲観していていいのだろうか。そうだ、諸行は無常である。たとい父が十年二十年生きていたとて、いずれは別れがある。父の死にはけっして骨肉の情をのぞけば泣かねばならない何ものもない。いっさいに光をなげつつ、無言に教えつつ、なすべきいっさいをなして、浄土に還って行ったのだ。見よ、父は久遠の如来と一体にてまします。慈父を憶うとき如来を憶い、如来のあるところに慈父まします。しかも父は永遠に生きて、今も私を招喚しておられる。

肉体がなくなったのは致し方がない。それはただ形の上のことだけであって、真の父を私の上に生かさねばならぬ。父を失ったこの度の悲痛苦悩はやがてより深く、より大きく生かされていく尊い尊い経験であった。今さらに光であった父の前に、心からの合掌をささげる。

四　十周年大会来たる

「念願は人格を決定す　継続は力なり」

こう叫びつつ彼は、彼自身の道を歩んで忍従と精進とをつづけてきた。そうして十年経った。おお十年間。彼に涙なくしてこの一語がいえるだろうか。

小さい歩みであったかも知れない。つまらぬ努力であったかも知れない。

しかし彼は今十歳になった。

大正八年一月、広島県安佐《あさ》郡飯室《いむろ》村小学校の粗末な宿直室で、『光明』の第一号が謄写版刷りで生まれた。それは雪の降る寒い日であった。彼は一寒村に小さい芽を切ったのだ。たった三、四十人の若い人たちの手に『光明』が行き渡った時、たちまち一村の若人たちは馳《は》せ参じた。けれども彼の使命は決して今日のごとく大きなものを予想せられてはいなかった。山村の問題であり、青年仲間の小さい営みであったのだ。

青年時代特有の、愛と名誉と希望とを得んとするあこがれを、運命にしいたげられ蹂躙《じゅうりん》された彼は、寂しい人生の広野をさまようた。悶々の情に数年間を苦しんだ彼は、それでも一人何ものかを求め、何ものかを追うて若い苦悶の日を哲学した。

人生の無常、大地の矛盾、生きることの寂しさを痛感した彼の胸にも、更生の日が訪れた。苦悶と読書、不平と沈うつ、自暴と卑怯、暗黒と焦燥、そうした長い日がおわって、信の火はかすかに点ぜられた。それは彼が二十四歳の夏だった。二十五歳の早春、雪が毎日降りつづく寒い日、彼の胸の炎は、このささやかな『光明』第一号となって生まれた。意義ある人生を歩みはじめたのもこの時からであり、苦闘の人生の歩みがはじまったのもこの時からであった。しかり、彼は苦を避けなかった。

貧しい彼は紙を買わねばならなかった。謄写機も買った。そうして三周年がくるまで毎月謄写版刷りの『光明』が出された。三周年がすぎると、『光明』は活字印刷になった。彼のわずかな月々の俸給の三分の一が印刷費にとられた。毎月の俸給の内から、父に手伝い、弟の学資を出し、『光明』の印刷費の不足を出して、彼は毎月十円で衣食住をすまさねばならなかった。彼は小使いさんに頼んだ「今日以後、どうか野菜でもお豆腐でも何でもいいから、肉や魚や金のかかることをしてくださらないように」。「お気の毒に……」と小使いのおばさんが泣いたこともあった。

もう動けない。毎月の印刷費が支払われない。借金が二百円、三百円と積もる。幾多の苦難が次々に押し寄せる。もうこの月きりでやめようと幾度行き詰まったか知れない。しかしそのたびごとに「継続は力なり」の声が彼を立たせた。そうして不思議にまた新しい道が開く。もう四年も毎月『光明』を出しても何の反響もない。私のすることは時代の要求には何の関係もないのだろうか。

彼が読書に没頭したのもこの数年間であった。午前二時、三時の起床も続けた。大正十一年の暮れから十二年の春にかけて、ついに光明団の上にも大きな試練の日が来た。一村の問題であった彼は、もう一村のものではなかった。社会はようやく彼を問題にしはじめた。そうして青年男女が信仰求道の旅に出発した。彼は日曜ごとに広島市、その他に講演に出なければならなかった。この頃、『光明』誌は全国各県に出ていた。

かくして大正十二年四月一日二日三日の三日間、五周年大会は、済世軍《さいせいぐん》主管、故真田増丸《さなだますまる》先生を講師として招聘《しょうへい》して開かれた。真に挙村一致であった。村長はじめ村の有志は役員となり、全村五百、二日間のしたくに出てくれて、白熱の大会の幕は切って落とされた。春だ！そうして長い忍苦をおわった光明団にも春が来た。各地の支部はことごとく参加した。幾千の大衆が見るこの輝かしい空気の中に涙した。

しかしその大会が開かれてある最中から青い魔の手は動きはじめた。そうして冬から春になって芽をふき出した彼をつみとろうとしはじめた。

四月、五月、六月、彼は大きな迫害・非難・悪罵・攻撃と、援助・讃嘆・激励・摂護《しょうご》との渦巻きの中に試練された。ああ、涙ぐましい人間性の誠を見たのもこの時であった。社会の底に巣くう毒牙《どくが》の相を見たのもこの時であった。長い間苦しみぬいた彼は、五年たっても決して幸福ではなかった。彼はついに教職を捨てるか、光明団を捨てるかの分水嶺に立たされた。彼の一生をこの村に朽ちんとした理想は蹂躙されたのだ。大正十二年七月、彼はついに無一文、いいえ支払う見込みさえない借金とともに、聖典一冊、念珠一連それだけをもって、念仏しつつ濁乱の渦中に投げ出された。何たる冒険ぞ！

その年の暮れ十二月、父と母と弟妹三人を連れて広島市に出た。何のよるべもなく、助力者もない生活難の街に、さながら喪家の犬のように食うにも困る日が続く。

大正十二年、それは実にはなばなしい苦難の中に暮れて行った。

それから五年間、赤手空拳《せきしゅくうけん》、奮闘また奮闘、東奔西走、東京より朝鮮までその手足をのばし、各地に同胞が生まれ、支部が設けられ、ここに大きな光を前途に見つつ、本団の準備期たる十か年間を経過した。

何事をするのにも、まず、自分一人が立たねばならない。しかし一人では何もできるものではない。合掌して、十年の過去を追憶する時、まず私の胸にうかぶものは十年間私を助け、私に共鳴し、私のために努力してくださった同胞たちに対する感謝である。

くつ下一足買う金のない日に、そっと修繕してしまっておいてくださったあなたの親切。月々の印刷代に困っている時、お化粧一瓶を始末したり、余分の労働をして出してくださった尊い浄財が、飯室時代の会計を支えた。

大正十二年七月、広島市に出るや森田氏、前田氏等は、家を開放して臨時の本部に提供したり私の生活を支えてくださった。

それから以後、私は常に各地の同胞たちの赤誠《せきせい》によって支持されてきた。人情の花の咲く広野、その広野から広野に、私が倒れずに十年間育ってきたのは、全くあなたがたの奉仕のたまものであった。功績があるならばまげて多くの同胞たちの赤誠にかえさねばならない。「感謝します十年間！　私のためにつくしてくださった同胞たちの赤誠に対して合掌のほかありません。つつしんでお礼申します」と私の魂は涙にささやく。一粒の種が地にまかれて、二葉をきると、虫がついたり、二葉でむしり取ろうと魔手がのびたり、日照りも続けば、長雨にもあう。大暴風に枝がさけたり、葉がとんだり、苦しみぬいて太っていく。虫をとってくれた人は今いずこ。水をやってくださった方、魔群と戦ってくださった人、大暴風の垣になってくださった人々は今いずこ。小さかった彼が十歳になったその裏にかくれた、育ての親としての同胞の尊い努力を大地に合掌して謝せずにはいられない。

光明団は、民衆のためにはたして敵であろうか。彼は、はたして社会に害毒を流す悪魔であろうか。彼は決して戦いの団体ではなかった。

しかるに無理解な民衆と、嫉妬を感ずるある徒の勢力とは、彼の上に忍ぶべからざる、悪罵と嘲笑と迫害とを加えた。そうした日に彼の生き方は、はっきりとしていた。

悪罵に報いるに悪罵をもってするな。非難されても言いわけするな。

ただ忍べ！　ただ忍べ！

私どもは旧教団や既成宗教を誹謗《ひぼう》しない。もし講演の席上などで、それをする者がいるならば、それは団精神に根拠はない。他を攻撃して得意になるほどひまな時間はない。それよりも大衆の胸に訴えよ。真剣に信の叫びをあげていけ。それが光明団の真精神であった。

こうした団の精神にたって、四面楚歌の迫害の中におかれても、忍従の積極道を一歩一歩、闊歩してくれた各地の同胞に深謝する。

私たちの真精神は、今や各地に認められてきた。しかしまだ光明団を毒蛇のごとくきらい、一歩もこの地には入れないと怒号している地方もある。我らは、我らの真精神が全国的に知られないほど努力が足りない。新しい歩みがはじまると、必ず迫害攻撃は覚悟しなければならない。そこに凡夫の陥りやすい我執と、真に生きる大道とがある。われらは反動でなく、復讐でなく、大信念の上にたって、人類平等の大慈悲を常行し、合掌してその使命のために突進せねばならない。

光明団の宗教運動が、今日に至ったのは、宗教を老人のもの弱者のものと考えていた青年男女、知識階級の人たちを対象としたからであった。老人は老人で導かれねばならない。しかしわれらは、青年の上に目をつける。宗教は決して老人のものではなくて人間のものである。社会のものである。真人格の創造。物の背後に動く法則をにらむ眼、苦の中にたって動かぬ力、それを獲得して、未来永遠に生きていく大道を生活することが宗教であるかぎり、宗教は決して老人のみのものではなくて、人間のものである。

幸いに私どもの努力は無効ではなかった。各地の青年は立った。知識階級に迎えられた。われらの将来の活動方向に動きはない。私は各地の団員に捧げる。われらの十周年は来た。緊張する本部の空気に相応して、ここにいよいよ勇ましく求道に、いよいよ強く聖戦に進出されんことを。無学者めが、と言われてもしかたがない。私には何らの肩書もないのだから。青二才がと言われてもしかたがない。たった三十四歳の青年である。

しかし、努力の二字、精進の一語は一日も私から離れない。無名の青年の心は、無名の青年の心に通じる、共に精進しよう。忍従しよう。死を覚悟の前に、何がいったい問題であろう。名を捨てよ、強くなれる。我を捨てよ、強くなれる。はからいをやめて努力せよ、死地にも活路が開かれる。

あなたが、あなたの地にいるということが、あなたの周囲を明るくすることであれ。我らの十周年は来た。あなたのみ手によって、努力によって、光明団の真精神を発揮するために、新しい努力を切願する。

ああ、われらの十周年大会は来たる。参加せよ。同胞よ。

◆住岡夜晃著作出典一覧◆

本書もくじ	＊『全集』収載巻	初出	著作年
第一章　いかに生きるか			
一　悩み多き在家の上に	第三巻	光明6巻5号	一九二四（大正十三）
二　合掌する日	第四巻	光明8巻9号	一九二六（昭和元）
三　真の自由	第八巻	聖光1巻3号	一九二六（大正十五）
四　いかに生きるか	第五巻	光明11巻10号	一九二九（昭和四）
五　生かす心	第五巻	光明11巻12号	一九二九（昭和四）
第二章　道を求める者の態度			
一　道を求める者の態度	第八巻	聖光1巻3号	一九二六（大正十五）
二　大願の実現	第八巻	聖光2巻7号	一九二七（昭和二）
三　全我を捧げて	第五巻	光明10巻6号	一九二八（昭和三）

＊『全集』：『住岡夜晃全集』

第三章　親鸞聖人を偲ぶ			
一　報恩講にあたってご開山聖人を憶う	第四巻	光明8巻12号	一九二六（大正十五）
二　ご正忌を迎える心	第五巻	光明10巻1号	一九二八（昭和三）
三　親鸞聖人を偲ぶ	第五巻	光明12巻10号	一九三〇（昭和五）
第四章　化城を出でて			
一　久遠のみ座	第三巻	光明6巻10号	一九二四（大正十三）
二　化城を出でて（一）	第四巻	光明8巻3号	一九二六（大正十五）
三　化城を出でて（二）	第四巻	光明8巻4号	一九二六（大正十五）
四　やすらぎ	第九巻	聖光4巻4号	一九二九（昭和四）
五　内より湧く泉	第三巻	光明6巻2号	一九二四（大正十三）
第五章　回向のみ名			
一　平生業成	第四巻	光明8巻8号	一九二六（大正十五）
二　価値の生活	第四巻	光明9巻5号	一九二七（昭和二）
三　超越と随順	第四巻	光明9巻6号	一九二七（昭和二）
四　来たりませ慈悲のみ園に	第三巻	光明7巻1号	一九二五（大正十四）

五　回向のみ名	第三巻	光明7巻11号	一九二五（大正十四）
第六章　疑謗を縁として			
一　疑謗を縁として	第三巻	光明7巻1号	一九二五（大正十四）
二　大悲無倦常照我	第五巻	光明12巻4号	一九三〇（昭和五）
三　絶望を超えて	第五巻	光明12巻9号	一九三〇（昭和五）
第七章　試練の中で			
一　念願に生きて永劫の彼方へ	第三巻	光明6巻1号	一九二四（大正十三）
二　亡き哲子の写真を抱いて	第四巻	光明8巻2号	一九二六（大正十五）
三　父の遺せる一金七拾弐円也	第八巻	聖光2巻10号	一九二七（昭和二）
四　十周年大会来たる	第九巻	聖光3巻11号	一九二八（昭和三）

◆住岡夜晃・真宗光明団、関連出版物◆

書名	発行年	発行所	内容
住岡夜晃全集（全二十巻）	一九六一〜一九六六年	真宗光明団本部	住岡夜晃の全著作
住岡夜晃先生（上）	一九八四年	真宗光明団本部	自伝・書簡・遺訓・年譜
住岡夜晃先生（下）	一九八一年	真宗光明団本部	伝記・追憶・座談会等
難思録	一九七七年	真宗光明団本部	昭和二十三、二十四年頃の晩年の著作
闡光録（上、中、下）	一九五〇〜一九五一年	真宗光明団本部	住岡夜晃法語
讃嘆の詩	一九八七年	真宗光明団本部	住岡夜晃法語
讃嘆の詩（上巻、下巻）	二〇〇三年	樹心社	住岡夜晃法語
真理への道	一九三一年	光明団出版部	住岡狂風の説く「二河白道」（広島県連七十周年に復刻版刊行）
若い友のために（住岡夜晃選集第一巻）	一九七一年	山喜房佛書林	住岡夜晃全集からの抜粋

真実を求めて（住岡夜晃選集第二巻）	一九七一年	山喜房佛書林	住岡夜晃全集からの抜粋
不退転の歩み（住岡夜晃選集第三巻）	一九七一年	山喜房佛書林	住岡夜晃全集からの抜粋
女性の幸福（住岡夜晃選集第四巻）	一九七二年	山喜房佛書林	住岡夜晃全集からの抜粋
現代に生きる（住岡夜晃選集第五巻）	一九七二年	山喜房佛書林	住岡夜晃全集からの抜粋
花日記	一九九八年	真宗光明団本部	住岡絹家（妻）の日記、随想等
真宗光明団六十年史年表	一九八〇年	真宗光明団本部	光明団活動の六十年の記録
真宗光明団八十年史年表	一九九九年	真宗光明団本部	光明団活動の六十一～八十年の記録
真宗光明団百年史年表	二〇一八年	真宗光明団本部	光明団活動八十一～百年の記録
コスモスの花	一九九〇年	真宗光明団本部	真宗光明団創立七十周年記念誌
住岡夜晃先生と真宗光明団	二〇〇八年	真宗光明団本部	真宗光明団創立九十周年記念誌
光明団と広島師範と軍港宇品と原爆といま	一九九三年	関係有志	原爆当時の回想と記録

あとがき

一九二三年（大正十二年）は、関東大震災により四十万戸が焼失する大悲劇の年でした。また、真宗光明団、住岡夜晃にとっても大苦難の年でした。五周年大会の後、「教職を取るか仏法を取るか」の岐路に立たされて、遂に彼は、教職を辞し、十二月には家族を伴って故郷を去り、広島市に移ったのでした。

明けて一九二四年正月を迎えて、団員の数も少なく、大家族を抱え、決まった収入もなく、はたと現実に直面して「私は一体どうなるのだろうか」「この通りを続けていていいのだろうか」などの不安が彼を襲ったであろうことが窺えます。「この容易《わかり》きった問題が未解決のまま貴方の頭の内に残ってはいなかったか」（「念願に生きて永劫の彼方へ」）という文章は、住岡夜晃自身のことでもあったのです。

しかし、彼はこの文章を書き進めながら、年頭に当たって問題を整理すると共に改めて自らの道をはっきりと確信し、嵐の中に漕ぎ出したのです。そして、いよいよ獅子奮迅、大精進の生活を始めました。「僧侶の資格を持たない者が仏教を語る」ことに対する非難中傷も激しく、それに答えるべく彼は猛烈な勉強、読書に全精力を傾けます。学んだ教理を咀嚼し分かりやすく説くとともに、人生の苦底で泣く同胞に対する篤い憶《おも》いを、旅の車中や講演の合い間に書き連ねたものが『光明』、『聖光』として毎月同胞に届けられました。また、多数の単行本の発刊、講演により教線も安芸一辺から東京から沖縄まで次第に拡大していきます。文字通り休む間もない「奮闘また奮闘、東奔西走」の時期でありました。かかる五年間の猛精進、猛奮闘によって、真宗光明団の基礎が築かれたのです。しかしその間、眼に入れても痛くない最愛の長女哲子の死（一九二六年）、また敬慕してやまない父勘之丞の死（一九二七年）等、彼の生涯に於ける最も悲しいことが次々に起きています。世は治安維持法の制定、労働農民運動の興隆、殺伐とした風潮が人々を襲っていました。一九二九年には世界大恐慌が起き、未曾有の大苦悩が押し寄せるのです。

そうした人々の苦難に比例して、真宗光明団の活動は野火のように深く浸透していきました。「各地に同胞が生まれ、支部が設けられ」、また、大正の終わりから昭和のはじめにかけて春季講習会、やがて夏季講習会、報恩講の三大講習会が開設され定着していくのです。しかしそれは横への広がりでありました。その後、彼の歩みは一転して、内への深い歩みが始まります。一九二八年の十周年大会後、団の活動目標も、大衆獲得から「外より内へ」「量より質へ」と急角度に変わっていくのです。

第二巻は次のように纏めています。

第一章「いかに生きるか」は、苦悩の元が人間の転倒した考えや言動にあることを明らかにし、仏法に導かれて生きることを述べています。

第二章「道を求める者の態度」は、真摯に教えに導かれていく者の態度を示しています。

第三章「親鸞聖人を偲ぶ」は、聖人に出遇った感動、感謝、讃嘆です。住岡夜晃にとって善知識は親鸞聖人でした。下山と法難という体験を同じくしたことが聖人に対する憶いを特別篤いものにしています。彼の人生は常に「何事も親鸞聖人の如く」と、聖人のお意《こころ》を訪ねる歩みでした。

第四章「化城を出でて」は、仏法を求める心の中に隠れている人間の闇の深さを知らされ、念仏一つを頂いていくことを述べています。

第五章「回向のみ名」は、「無慚無愧のこの身にてまことの心は無けれども弥陀の回向のみ名なれば功徳は十方にみちたもう」の意のごとく名号に生かされた生活を述べています。

第六章「疑謗を縁として」は、仏の教えを聞いていく過程で起こる疑問や躓きを問答の形で明らかにしています。

第七章「試練の中で」は、団創設五年から十年の間の出来事の中で、彼の苦悩と真実を求めて不退に歩みぬく姿が示されています。

二〇一八年八月十五日

『新住岡夜晃選集』第二巻編集委員　**佐々木常和**

新住岡夜晃選集　第二巻　不退の歩み

二〇一八年十月十一日　初版第一刷発行

著　者　住岡夜晃

編　集　真宗光明団
新住岡夜晃選集編集委員会

発行者　西村明高

発行所　株式会社　法藏館
京都市下京区正面通烏丸東入
郵便番号　六〇〇−八一五三
電話　〇七五−三四三−〇〇三〇（編集）
〇七五−三四三−五六五六（営業）

装幀　山崎　登
印刷・製本　中村印刷株式会社

ISBN978-4-8318-4272-5 C3015